KB103600

빛과 꽃이 된 영혼

내 안의 소중한 마음을 지켜준 사랑

빛과 꽃이 된 영혼
내 안의 소중한 마음을 지켜준 사랑

저 자 강재인(Serapino..K)
저 자 이메일 kji1205@nate.com
내지디자인 올레비엔

발 행 2024년 8월 12일
펴낸이 한건희
펴낸곳 주식회사 부크크
출판사등록 2014.07.15.(제2014-16호)
주 소 서울특별시 금천구 가산디지털1로 119 SK트윈타워 A동 305호
전 화 1670-8316
이메일 info@bookk.co.kr

ISBN 979-11-410-9760-8
가 격 15,300 원

www.bookk.co.kr

◈ **목차**

◆ 목차

빛과 꽃이
된 영혼

영원한 빛, 영원한 꽃이 되어 버린 두 순수함이 우리에게 어떻게 다가오게 될지 알 수는 없겠지만, 이 소설을 통해 여러분들의 순수했던 그 순간과 앞으로의 영원한 사랑을 응원하며 빛과 꽃이 된 두 아이의 사랑을 받치려 한다. 지금부터 당신의 마음을 가져 가려 하니 잘 잡아 두시길 바라며 순수한 순결이 느껴지는 "빛과 꽃이 된 영혼" 지금부터 함께 당신과 나, 우리의 사랑을 시작합니다.

빛과 꽃이 된
영혼

빛과 꽃이
된 영혼

이 책은 순수한 사랑이 영원한 사랑으로 남을 수 있다는 마음을 담아 본 작가의 실제 속 이야기 그리고 일부 소설로 담아내기 위한 표현의 변화를 함께 담아낸 작품이며 독자들은 독자들의 마음속 자신을 바라보며 함께 이 소설 안의 엘리나와 루카스가 되어 그들의 사랑과 함께 잠시 살아가 보았으면 한다.

유럽의 어느 작은 해안 마을, 아침 해가 떠오르며 바다 위로 부드러운 금빛 햇살이 퍼져나간다. 이 마을은 바다와 가까이 자리 잡고 있어서 파도 소리가 언제나 한 편의 음악처럼 흐른다. 이곳은 조용하고 평화롭지만, 그 안에는 숨겨진 이야기들은 넘쳐났다.

마을 중심에는 오래된 돌담길이 있고, 양옆으로는 아기자기한 상점들과 카페가 줄지어 있다. 상점 주인들은 아침 일찍부터 가게 문을 열고, 신선한 빵 냄새가 거리를 감싸며 사람들을 끌어들인다. 그 중 특히 인기 있는 것은 한적한 곳에서 자리 잡은 작은 책방 '문라이트 북스'다. 이곳은 세월의 흔적이 묻어나는 나무 선반에 다양한 책들이 빼곡히 자리 잡고 있다.

한 소녀인 엘리나는 이 책방을 자주 찾는 단골손님이다. 그녀는 18세 소녀로, 눈부신 금발과 푸른 눈을 가진 아름다운 소녀다. 하지만 엘리나의 눈에는 때때로 슬픔이 스며들어 있다. 그녀는 남들이 보지 못하는 것을 보고, 듣지 못하는 소리를 들을 수 있는 특별한 능력을 지니고 있다. 그러나 그 능력 때문에 알 수 없는 불치병에 걸려 있었다.

엘리나는 책방 안의 바다가 비춰 보이는 한적한 구석에 앉아 책을 읽고 있었다. 창문 밖으로는 바다의 파도 소리와 갈매기 울음소리가 들려 온다. 창문 너머로는 어부들이 고기를 잡기 위해 출항하는 소리와 마을 사람들이 아침 인사를 나누는 소리가 섞여 들리며 책방 안에서는 나무 선반에 책이 꽂히는 소리와 바닥을 쓸고 다니는 요술 빗자루 소리가 조용하게 스쳐 울린다.

엘리나는 조용히 책을 넘기며, 세상의 아름다움과 동시에 자신의 슬픔을 마음속으로 음미했다. 책장을 넘길 때마다 사각거리는 종이 소리가 그녀의 마음을 달래주었다.

바로 그때, 책방 문이 살짝 열리며 작은 방울 소리가 귓가에 울렸다. 문이 열리면서 가벼운 바람이 책방 안으로 들어왔고, 그 바람에 엘리나의 머리카락이 살짝 흔들렸다. 책방 문을 열고 한 소년이 들어왔다. 그 소년은 17세의 루카스라는 소년이었다. 루카스는 수줍음이 많은 성격이었지만, 책을 사랑하는 마음은 누구보다 컸다. 그는 조용히 책방 안의 책들을 둘러보며, 자신이 읽고 싶은 책을 찾고 있었다. 그러다 엘리나의 존재를 느끼고 살짝 미소 지으며 설레는 마음을 느꼈다.

엘리나 또한, 그의 존재를 느끼고 조심스럽게 고개를 들었다. 두 사람의 시선이 잠시 마주쳤고, 그 순간 마치 시간이 멈춘 듯한 느낌이 들었다. 엘리나는 부끄러움과 부드러운 미소를 지으며 말했다.

"안녕하세요," 그녀의 목소리는 파도 소리와 섞여 부드럽게 울렸다.

루카스는 놀라서 살짝 당황했지만, 곧 차분히 대답했다. "아~ 안녕하세요," 그의 목소리는 낮고 따뜻했다.

그들의 첫 만남은 이렇게 시작되었고 책방 안의 따뜻한 분위기와 바다의 잔잔한 소리는 두 사람의 마음을 자연스럽게 이어주는 듯 속삭였다. 그 순간, 엘리나와 루카스는 서로에게서 뭔가 특별한 것을 느꼈다. 그러나 그것이 무엇인지는 아직 알 수 없었다.

이 작은 해안 마을에는 앞으로 많은 일이 기다리고 있었다. 엘리나와 루카스의 인연은 단순한 우연으로 스친 인연일까? 그들은 서로의 삶에 깊이 스며들며 함께 성장하고, 사랑이란 마음을 키워나갈 운명적 만남이 이루어질까? 본 작가는 궁금해진다. 때로는 스쳐 지나가는 인연이라도 더욱 깊은 흔적의 운명적 사랑을 남기기도 하다.

저 창밖에 흐르는 바다의 물결처럼, 그들의 이야기는 잔잔하면서도 강렬하게 펼쳐질지, 또한, 이 마을 사람들은 이 둘의 이야기를 통해 어떤 마음의 의미를 담아낼지 본 작가도 기다려진다. 엘리나와 루카스에게는 어떤 세상이 그려질지 그리고 엘리나와 루카스의 삶 속에서 우리에게 전해주고자 하는 것이 무엇인지, 그들의 마음 깊은 곳의 삶이 그려 낸 사랑의 기록으로 이 마을엔 또, 어떤 기록으로 남을지 함께 엘리나와 루카스의 마음속 세상을 함께 떠나보려 한다.

우 연 한
만 남

제1장 우연한 만남

#. 문라이트 북스 책방, 해안 마을의 아침

바다의 소금기 섞인 공기가 아침 햇살에 반짝이는 작은

해안 마을. 이곳은 어디를 가든지 푸른 바다가 보이는, 마치 시간이 멈춘 듯한 평화로운 장소다. 그 중심에 자리한 '문라이트 북스'는 낡은 벽돌 건물로, 고풍스러운 나무 간판이 바람에 흔들리며 삐걱거린다. 책방 문을 열고 들어서면, 오래된 나무 바닥이 '삐걱, 삐걱'이며 환영 인사를 건네는 듯하다. 가벼운 음악 소리가 배경에 깔리고, 커피머신이 내는 은은한 향이 코끝을 간지럽힌다.

엘리나는 여느 날처럼 책방 창밖의 바다가 보이는 구석에 자리를 잡고 앉아 있었다. 그녀의 긴 금발 머리는 햇살을 받아 반짝였고, 깊고 큰 눈동자는 책 속에 빠져 있었다. 엘리나는 언제나 책 속에서 자신의 세상을 찾곤 했다. 그곳에서만은 그녀의 특별한 능력과 불치병의 고통을 잠시나마 잊을 수 있었기 때문이다.

책방 주인인 매기 아줌마는 항상처럼 카운터 뒤에 앉아 손님들을 맞이하고 있었다. 그녀는 엘리나에게 따뜻한 미소를 지어 보이며 커피를 한 잔을 건넨다.

"오늘도 여전히 아름답구나, 엘리나. 이 커피는 서비스야."

엘리나는 감사 인사를 하며 커피를 받았다. 그녀는 작은 소리로 "고마워요, 매기 아줌마"라고 속삭였다.

그 순간, 문이 덜컹거리며 열리더니 바람이 들어왔다. 문을 여는 소리가 가게 안을 가득 채웠고, 책장이 흔들리며 책 한 권이 떨어졌다.

한편, 조용히 책을 고르던 루카스는 우연히 엘리나를 발견하고 그녀에게 눈을 떼지 못했다. 그의 내성적인 성격은 이 순간에도 말을 걸 용기를 내지 못하게 했다. 그러나 그날따라 뭔가 특별한 것이 그를 움직이게 했다. 그는 조심스레 다가가 그녀가 읽고 있는 책의 제목을 슬그머니 보았다.

"『잃어버린 시간을 찾아서』... 나도 이 책 좋아해요." 루카스는 약간 떨리는 목소리로 말했다. 그의 눈은 진심으로 가득 차 있었다.

엘리나는 깜짝 놀라 고개를 들었다. 그의 목소리는 조용했지만, 진심이 담겨 있었다. 엘리나는 미소를 지으며 그를 바라보았다.

"정말요? 이 책을 읽는 사람을 만나기 힘들 줄 알았어요." 그녀의 눈은 호기심과 기쁨으로 빛났다.

그렇게 두 사람은 서서히 이야기를 나누기 시작했다. 루카스는 내성적인 성격 때문에 말을 많이 하진 않았지만, 엘리나의 미소와 따뜻한 목소리에 마음이 열렸다. 엘리나는 자신의 특별한 능력에 대해 말하지 않았지만, 루카스의 눈빛 속에서 그의 진심을 읽을 수 있었다.

한 편, 매기 아줌마는 카운터 너머에서 그들의 대화를 지켜보며 미소를 지었다. 그녀는 두 사람이 서로에게 특별한 무언가를 느끼게 될 것임을 알아차렸다.

"젊음은 참 아름다워,"
매기 아줌마는 속으로 생각하며 혼자 중얼거렸다.

엘리나와 루카스가 이야기를 나누는 동안, 책방의 다른 손님들은 책을 고르거나 조용히 앉아 읽고 있었다. 벽난로 앞의 안락의자에 앉은 한 노부부는 서로의 손을 잡고 있었다. 그들의 모습은 엘리나와 루카스에게 앞으로의 가능성을 암시하는 듯했다.

그러던 중 문이 다시 덜컹거리고 열리며 바람이 들어왔다. 책장을 흔들리며 또다시 책 한 권이 떨어졌다. 엘리나는 순간적으로 주변의 소리를 더 선명하게 느꼈다. 그녀는 떨어진 책을 주우려다, 잠시 혼란스러워했다.

루카스는 엘리나의 변화를 눈치채고, 그녀에게 다가가 조심스럽게 책을 주워 건넸다.

"괜찮아요?"
그의 눈은 걱정으로 가득 차 있었다.

엘리나는 살짝 떨리는 손으로 책을 받아 들고 고개를 끄덕였다. "네, 괜찮아요. 감사합니다." 그녀는 미소를 지으려 했지만, 약간의 불안감이 엿보였다.

루카스는 미소를 지으며, 그녀에게 다가가는 것이 잘한 일이라고 느꼈다. 그 순간부터, 두 사람의 마음에는 서로에게 이야기하듯 그 무언가가 움직이기 시작했다. 주변의 소리와 움직임, 그리고 책방의 따뜻한 분위기가 두 사람의 감정을 더욱 생생하게 만들어주고 있었다.

비 밀 과
병

제2장 비밀과 병

#. 바닷가, 마을 공원

해안 마을의 아침은 금방 지나고, 바닷바람이 더 따뜻

해지기 시작했다. 바닷가에는 흰 모래가 끝없이 펼쳐져 있고, 파도 소리는 귓가에 부드럽게 속삭인다. 해변에는 연인, 가족 등 사람들이 산책하거나, 조용히 바다를 바라보며 낭만을 느끼고 있다. 바다를 따라 이어진 산책로는 마을의 작은 공원으로 이어지며, 공원 한편에는 커다란 느티나무가 자리 잡고 있다. 나무 아래에는 오래된 벤치가 놓여 있고, 그 주위로 화사한 꽃들이 피어 있다.

엘리나와 루카스는 함께 바닷가를 걸으며 이야기를 나누었다. 해변의 풍경은 그들의 마음을 평온하게 만들었고, 엘리나는 루카스와의 대화에서 편안함을 느꼈다. 그들은 서로의 관심사와 꿈, 그리고 일상 속 이야기하며 조금씩 더 가까워짐을 느꼈다.

"엘리나, 무슨 생각을 하고 있어요?"
루카스는 엘리나가 바다를 바라보며 깊은 생각에 잠긴 모습을 보고 물었다. 그의 목소리에는 부드러운 걱정이 담겨 있었다.

엘리나는 살짝 미소 지으며 대답했다.

"음... 그냥, 옛날 생각이 났어요. 이곳에서 많은 시간을 보냈거든요."

루카스는 고개를 끄덕이며 그녀를 바라보았다.
"그랬군요. 여기 정말 아름다워요. 나도 어렸을 때, 가족과 함께 자주 왔었어요. 여기서 모래성을 쌓던 기억이 나네요."

엘리나는 해변을 따라 이어진 작은 산책로로 눈길을 돌렸다. 바닷바람이 그녀의 긴 금발 머리를 부드럽게 흩날렸다. 그녀는 잠시 말을 잇지 않고 발걸음을 옮기며, 손가락 끝으로 모래를 살짝 쓸어내렸다.

"나는 이곳에서 자주 책을 읽곤 했어요. 어렸을 때 엄마가, 내가 좋아하는 책을 사다 주셨거든요."

그리곤 그들은 잠시 말없이 걷다가, 공원으로 들어섰다. 공원은 잔디밭과 꽃들로 가득했고, 곳곳에 작은 분수가 있었다. 아이들은 분수 주위에서 뛰어놀고 있었고, 한 노부부는 느티나무 아래에서 서로의 손을 잡고 앉아 있었다.

그들의 모습은 엘리나와 루카스에게 따뜻한 감정을 불러 일으켰다.

엘리나는 벤치에 앉아 한숨을 내쉬며 말했다.
"이곳은 항상 평온해요. 마치 모든 걱정이 사라지는 것 같아요."

루카스는 그녀 옆에 앉으며 고개를 끄덕였다.
"맞아요. 여기 있으면 모든 것이 조금씩 더 편안한 마음을 움직이는 것 같은 느낌이 들어요. 어렸을 때, 여기서 친구들과 술래잡기를 하면서 시간을 보내곤 했어요. 그때의 자유로움이 제게는 그리워지네요."

엘리나는 잠시 머뭇거리다 루카스를 향해 말했다.
"루카스, 나에게는... 말하지 못한 비밀이 있어요. 이 이야기를 하면 당신이 떠날까 두렵기도 한데..."

루카스는 그녀를 바라보며 진지하게 말했다.
"엘리나, 무슨 일이든 나에게 말해도 돼요. 나는 당신을 믿으니까요."

엘리나는 깊은, 숨을 쉬며 자신의 특별한 능력과 불치병에 관한 이야기를 하기 시작했다.

"나는... 사람들의 마음을 읽을 수 있어요. 그들이 말하지 않아도, 그들의 감정을 느낄 수 있죠. 이 능력은 때론 축복을 주지만, 저를 숨 막히게 하는 저주 같기도 해요. 왜냐하면, 내가 아는 모든 것이 항상 긍정적인 것은 아니니까요."

루카스는 놀란 표정을 지으며 엘리나를 바라보았다.

"어머! 저런, 그랬군요. 얼마나 힘들었을지 상상이 안 가지만, 왠지 많이 힘드셨을 것 같아요. 그래도 난 당신을 있는 그대로 받아들일 거예요."

엘리나는 이어서 자신의 병에 대해서도 털어놓았다.

"그리고 나는... 불치병을 앓고 있어요. 매일이 불안해요. 언제 어떻게 될지 모른다는 생각이 날 괴롭히죠."

루카스는 엘리나의 이야기를 듣고, 그녀의 고통과 두려움을 이해하려 노력했다. 엘리나가 이야기하는 동안, 그녀의 목소리는 떨리고 눈에는 눈물이 맺혔다. 그녀는 손을 꼭 쥐며 자신의 감정을 억누르려 애썼다. 이때 루카스는 그녀의 손을 부드럽게 잡으며 위로했다.

"그동안 혼자서 얼마나 힘들었을지... 음... 엘리나, 하지만 이젠 나도 당신 곁에 있으니 걱정하지 말아요."

엘리나는 그의 따뜻한 손을 느끼며 눈물을 흘렸다.
"고마워요, 루카스. 당신이 있어서 정말 다행이에요."

그 순간, 엘리나는 자신이 루카스에게 마음을 열게 되었음을 깨달았다. 루카스도 그녀의 진심을 느끼고 있었다. 두 사람은 서로에게 더욱 가까워졌고, 공원의 따뜻한 분위기 속에서 함께하는 시간을 소중히 여기게 되었다.

공원에는 바람에 흔들리는 나뭇잎 소리와 새들의 지저귐이 조화를 이루며 두 사람의 따뜻함을 감싸고 있었다. 아이들의 웃음소리와 분수의 물방울 소리가 배경에 깔려, 그들의 대화는 더욱 특별하게 느껴졌다.

"루카스, 당신은 특별한 사람이에요. 이렇게 내 이야기를 들어주고, 이해 해주다니..." 엘리나는 그의 눈을 바라보며 말했다.

루카스는 미소 지으며 대답했다.
"엘리나, 당신도 특별해요. 그리고 난, 우리가 함께라면 어떤 어려움도 이겨낼 수 있을 거라고 믿어요."

엘리나와 루카스가 이야기를 나누는 동안, 공원에는 조금씩 사람들이 늘어나기 시작했다. 산책을 즐기는 가족들, 운동하는 사람들, 그리고 벤치에 앉아 책을 읽는 이들까지 다양한 사람들이 있었다. 한편에는 아이들이 뛰어놀며 웃음소리가 그들의 순수함을 담는 듯 보였다.

"여기 참 평화롭네요. 마치 시간이 멈춘 것 같아요."
엘리나는 루카스를 보며 말했다.

루카스는 작은 미소와 함께 고개를 끄덕이고 주변을 둘러보았다. "우리처럼요! 그러네요. 이 평화로움이 당신과 함께하는 소중한 시간을 주는 것 같아 정말 행복하네요."

그 순간, 엘리나는 자신이 루카스를 신뢰할 수 있을 것 같고 루카스에게 더 많은 것을 말하고 싶다는 생각이 들었다. 그녀는 깊은, 숨을 들이쉬며 용기를 내어 말을 이어갔다. "루카스, 나는 사실 지금 순간 이곳에 있는 것만으로도 많은 것을 극복하고 있어요. 이 모든 것이 당신이 나의 곁에 있기 때문 같아요."

루카스는 놀란 표정으로 엘리나를 바라보았다.
"정말요? 나는 그냥 당신 곁에 있었을 뿐인데..."

엘리나는 미소 지으며 그의 손을 잡았다.
"그게 나에게 얼마나 큰 힘이 되는지 몰라요. 당신과 함께 있으면 모든 게 더 나아질 것 같다는 생각도 들어요."

그들은 그렇게 서로의 감정을 나누며, 공원의 아름다움 속에서 마음을 열어갔다. 바람에 흔들리는 나뭇잎 소리와 새들의 지저귐이 두 사람을 더욱 깊게 감싸고 있었다. 그들의 대화는 마치 한 편의 시와 바람이 들려주는 음악처럼 자연스럽게 흘러갔다.

시간이 흐르면서, 엘리나와 루카스는 서로에게 더욱 솔직해지고, 깊은 신뢰를 쌓았고 그들의 관계는 이제 단순한 친구 이상의 의미를 느끼게 되었다. 앞으로 어떤 어려움이 닥치더라도, 두 사람은 함께 이겨낼 준비가 되어 있어 보였다.

성 장 과
갈 등

[회상 속] 성장과 갈등

#. 마을의 커피숍, 엘리나의 집

#. 커피숍

엘리나와 루카스는 마을의 작은 커피숍에서 만나기로 했다. 커피숍은 아늑하고 따뜻한 분위기를 자아내며, 진한 커피 향기가 가득했다. 바리스타가 에스프레소 머신을 작동시킬 때마다 경쾌한 스팀 소리가 울렸고, 잔잔한 재즈 음악이 배경에 깔려 있었다. 창밖으로는 마을 사람들이 오가며 일상의 소소한 즐거움을 만끽하는 모습이 보였다. 엘리나는 창가가 있는 자리에서 루카스를 기다리고 있었다. 그녀의 눈은 바깥 풍경을 바라보며 깊은 생각에 잠겨 있었다.

루카스가 커피숍 문을 열고 들어오자, 문에 달린 작은 종이 맑게 울리는 소리를 내며 흔들렸다. 엘리나는 밝게 미소 지으며 손을 흔들었다. "루카스, 여기야!"

루카스는 엘리나를 보며 미소를 지었다.
"엘리나, 기다리게 해서 미안해요. 좀 늦었네요."
그의 목소리는 차분하면서도 따뜻했다.

엘리나는 고개를 저으며 말했다.
"괜찮아요. 당신이 와서 정말 기뻐요."

그녀의 목소리에는 진심 어린 환영이 담겨 있었다.

두 사람은 커피를 주문하고, 다시 구석에 있는 한적한 자리로 이동했다. 창문 너머로 햇살이 은은하게 비치는 곳이었다. 커피 잔 속의 향을 서로 느끼며 이 향기의 소리가 둘의 대화에 리듬을 더 이어가 주었다. 대화는 자연스럽게 그들의 과거와 성장 배경을 그려 냈다.

"루카스, 당신은 어렸을 때 어떤 아이였어요?"
엘리나는 호기심 가득한 눈빛으로 물었다. 그녀의 눈빛은 그가 어떤 이야기를 해줄지 기대하는 듯 빛났다.

루카스는 커피를 한 모금 마시고 대답했다.
"나는 꽤 활발한 아이였어요. 항상 밖에서 뛰어놀고, 친구들과 모험을 즐겼죠. 부모님은 내가 에너지 넘친다고 항상 말씀하셨어요." 그의 눈에는 어릴 적 기억이 떠오르는 듯한 반짝임이 보였다.

엘리나는 웃으며 말했다. "그렇군요. 나는 어렸을 때 책을 정말 좋아했어요. 항상 책을 읽으며 새로운 세상을 꿈

꾸곤 했죠." 그녀의 미소는 따뜻하고, 눈에는 과거의 행복한 순간들이 스쳐 지나가는 듯했다.

루카스는 고개를 끄덕이며 말했다.
"당신의 책 사랑은 지금도 여전한 것 같아요. 어떤 책이 당신에게 가장 큰 영향을 줬나요?" 그의 목소리는 부드럽고, 진심 어린 관심이 보였다.

엘리나는 잠시 생각하다가 대답했다.
"어릴 적에 읽었던 '작은 아씨들'이요. 그 책은 나에게 큰 영감을 줬어요. 특히 자매들이 서로를 지지하며 성장하는 이야기가 마음에 와 닿았거든요." 그녀의 목소리는 감동에 젖어 있었다.

그들의 대화는 계속 이어졌고, 주변의 소음들이 점차 희미해지는 듯했다. 커피숍의 다른 손님들은 각자 자신의 이야기에 몰두해 있었고, 바리스타는 커피를 준비하며 잔잔한 웃음소리를 흘렸다. 이 모든 소음이 소음이라기보다 둘의 속삭임에 응원처럼 들려 오며 둘의 대화를 그림처럼 부드럽게 그려져 가고 있었다.

대화 도중, 엘리나의 얼굴에 어두운 그늘이 드리워졌다.

"루카스, 나는 어렸을 때 항상 책 속의 세계로 도피했어요. 현실이 너무 무서웠거든요. 아버지는 알코올 중독이었고, 어머니는 항상 지치셨어요. 그럴 때마다 책 속의 이야기가 나를 지켜줬어요. 지금은 아버지도 어머니도 안정되었지만요." 그녀의 목소리는 떨리고 있었다.

루카스는 그녀의 손을 잡으며 말했다.
"엘리나, 당신은 참으로 많은 아픔을 겪었군요. 그러나 지금의 엘리나, 당신이 이렇게 강하게 자란 것이 정말, 대단하고 아름답다고 생각해요." 그의 목소리는 진심이었다.

그때, 커피숍 다른 한 자리에서 책을 읽던 노인이 그들의 대화를 들은 듯, 슬며시 다가와 말을 걸었다. "저도 어릴 적엔 책이 유일한 친구였답니다. 때로는 현실이 너무 잔인해서 책 속에 도망치곤 했지요. 행복을 빕니다." 그의 목소리는 따뜻하고 엘리나의 마음에 포근한 공감을 가득 채워 주었다.

엘리나는 고개를 끄덕이며 말했다. "감사해요. 어르신의 말씀에 그리고 저의 이런 이야기에 힘이 되는 공감을 주셔서 정말 조금 더 마음의 위로가 되네요."

노인은 미소를 지으며 다시 자리로 돌아갔다. 한 노인의 스친 공감이 엘리나와 루카스에게 깊은 여운과 인상을 남겼다.

#. 엘리나의 집

커피숍에서의 대화를 마친 후, 엘리나와 루카스는 엘리나의 집으로 향했다. 집으로 들어서자, 엘리나는 루카스를 거실로 안내했다. 거실은 아늑하고 따뜻한 분위기를 자아내며, 벽난로가 은은한 빛을 발하고 있었다. 벽난로의 타오르는 불꽃이 부드럽게 흔들리며, 거실 안은 은은한 오렌지색 빛으로 물들었다. 거실에는 가족사진과 함께 아기자기하게 만들어진 장식품들이 곳곳에 놓여 있어, 엘리나의 가족 환경이 어렸을 때 힘들었겠지만 지금은 행복한 가정의 사랑을 엿볼 수 있었다.

엘리나는 거실에 놓인 소파에 앉으며 루카스를 불렀다.

"루카스, 이리 와봐요. 당신의 이야기를 듣고 싶어요. 당신은 가족과 어떤 추억이 있나요?" 그녀의 목소리는 조용하고, 방 안의 온기가 그들의 대화를 포근히 감싸 안았다.

루카스는 잠시 생각하다가 대답했다. "우리 가족은 항상 함께 여행을 다녔어요. 여름 방학이면 캠핑을 가곤 했죠. 그때의 기억은 아직도 생생해요. 자연 속에서의 자유로움과 가족과의 소중한 시간들." 그의 목소리는 따뜻한 회상에 잠겨 있었다.

엘리나는 루카스의 가족 환경에 조금 부러워하며 고개를 끄덕이며 말했다. "당신의 추억은 정말 소중해 보여요. 나는 어머니와 함께 이 정원을 가꿨던 기억이 가장 소중해요. 어머니는 내가 힘들 때마다 항상 곁에 있어 주셨어요." 그녀의 목소리에는 어머니에 대한 깊은 그리움과 사랑이 담겨 있었다.

그때, 엘리나의 동생인 소피아가 거실로 들어왔다. 그녀는 밝은 표정으로 인사했다. "안녕하세요, 루카스 오빠! 여기서 다시 뵙게 되어 기뻐요." 소피아의 목소리는 명랑하고, 방 안에 활기를 더했다.

루카스는 미소 지으며 대답했다. "안녕하세요, 소피아. 오랜만이에요. 잘 지냈나요?" 그의 목소리는 부드럽고 정겨움을 주었다.

소피아는 고개를 끄덕이며 말했다. "네, 잘 지냈어요. 언니가 집에 친구를 초대한 게 정말 오랜만인 것 같아요." 그녀는 장난기 가득한 표정으로 엘리나를 쳐다보았다.

엘리나는 웃으며 말했다. "소피아, 루카스와 중요한 이야기를 나누고 있었어. 잠시 후에 함께 이야기 나누자." 그녀의 목소리는 부드럽고 사랑스러웠다.

그들이 이야기를 나누는 동안, 엘리나의 아버지가 집안에 들어왔다. 그는 딸의 친구를 반갑게 맞이했다.
"안녕하세요, 루카스라고 했죠. 엘리나에게 당신 얘기를 많이 들었어요." 그의 목소리는 따뜻하고, 눈에는 자상함이 담겨 있었다.

루카스는 공손하게 인사하며 말했다.

"안녕하세요, 아버님. 만나 뵙게 되어 영광입니다."

그의 태도는 진심이었다.

엘리나는 아버지와 눈을 마주치며 말했다. "아빠, 루카스는 정말 특별한 친구예요. 우리가 서로에게 많은 힘이 되고 있어요." 그녀의 목소리에는 진심으로 루카스를 향한 마음속 애정이 담겨 있었다.

엘리나의 아버지는 고개를 끄덕이며 말했다. "루카스, 우리 엘리나를 잘 부탁해요. 우리 엘리나는 어렸을 때 많은 어려움을 겪었지만, 나에게도 아름답고 든든한 나의 소중한 딸이에요. 그럼, 좋은 시간을 보네요." 엘리나의 아버지는 자신의 방으로 들어간다. 그의 목소리에는 깊은 신뢰와 사랑이 묻어 있었다.

루카스는 엘리나의 이야기들을 듣고, 그녀의 손을 잡으며 말했다. "엘리나, 아버님도 그렇지만, 당신의 어머니는 정말 훌륭한 분이신 것 같아요. 당신도 어머님처럼 강한 사람이라는 걸 느낄 수 있어요." 그의 손은 따뜻하고, 진심 어린 위로를 전하듯 엘리나의 두 손에 온기가 느껴져 있었다.

엘리나는 미소 지으며 말했다. "고마워요, 루카스. 당신이 이렇게 내 이야기를 들어주고, 이해 해줘서 정말 감사해요." 그녀의 목소리는 한층 부드러워지고, 마음 깊은 곳에서 우러나온 고마움이 담겨 있었다.

그때, 부엌에서 요리 중이던 엘리나의 어머니가 엘리나와 루카스를 주방 식탁으로 불렀다. "엘리나, 루카스, 배고프겠어요. 어서 와요, 루카스. 우리 집에 온 걸 환영해요. 준비한 음식이 많지 않지만, 우리 엘리나의 친구가 되어줘서 고마워요. 한번 식사하고 싶었네요." 그녀의 목소리는 따뜻하고 친근감을 주었다.

루카스는 예의 바르게 인사하며 자리에 앉았다. "안녕하세요, 감사합니다. 어머님, 이런 훌륭하신 어머님도 만나 뵙게 되어 정말 기쁩니다. 다시금 감사합니다." 그의 태도는 정중하고 진심이 담겨 있었다.

엘리나의 어머니는 미소를 지으며 말했다.

"자, 그럼... 우리, 모두 함께 저녁을 먹어 볼까요? 잠시만요 여러분! 저녁 준비가 거의 끝나가요." 그녀의 목소리는 가족의 사랑과 루카스의 환영에 마음이 담겨 있었다.

엘리나와 루카스, 그리고 엘리나의 가족은 함께 저녁식사를 하며 따뜻한 분위기 속에서 서로의 이야기를 나누었다. 그들의 대화는 가족의 소중함과 사랑을 다시금 한번 더 느끼게 해주었고, 엘리나는 자신의 이야기를 나눌 수 있는 따뜻한 사람들과 함께 있다는 사실에 행복하고 큰 힘을 받았다.

도 전 과
약 속

제3장 도전과 약속

\#. 마을의 병원, 엘리나의 집

\#. 병원

마을의 이 병원은 아침 햇살이 창문을 통해 부드럽게 스며들며 따뜻한 분위기를 자아냈다. 엘리나와 루카스는 진료 대기실에서 나란히 앉아 있었다. 대기실에는 부드러운 클래식 음악이 흘러나왔고, 벽에는 환자들을 위한 희망과 용기를 북돋아 주는 따뜻한 글귀들이 적힌 포스터가 붙어 있었다.

　　엘리나는 초조한 듯 손을 꼼지락거리며 루카스를 바라보았다. "루카스, 나는 이 순간이 항상 두려워요."

　　루카스는 그녀의 손을 잡고 다정하게 말했다. "모든 게 잘 될 거예요, 엘리나. 나는 항상 당신 곁에 있어요."

　　잠시 후, 간호사가 엘리나의 이름을 불렀다. 엘리나는 깊은, 숨을 들이쉬고 일어섰다. 루카스는 그녀의 손을 놓지 않고 함께 진료실로 들어갔다. 진료실 안은 깨끗하고 밝았으며, 창밖으로는 정원이 보였다. 의사는 엘리나를 반갑게 맞으며, 친절한 미소를 지었다.

　　"엘리나, 오늘 기분은 어때요?" 의사는 차트를 보며 물었다.

엘리나는 불안함과 함께 가벼운 미소를 지으며 답했다.
"조금 긴장되지만 괜찮아요, 키딩 원장님."

진료가 끝난 후, 키딩 원장은 엘리나에게 진지한 표정으로 말했다. "엘리나, 최근 검사 결과를 보면 상태가 조금 더 악화되고 있는 것 같네요. 하지만 희망을 잃지 마세요. 우리가 할 수 있는 최선의 치료 방법을 계속 찾고 있으니 그리고 본인의 잠재 능력을 사용하지 않도록 조심하고 노력해 보아요."

엘리나는 키딩 원장의 말을 기억하며 마음이 무거워졌지만, 루카스의 마음을 느끼고 힘을 얻었다. 병원에서 나오는 길에, 엘리나는 루카스에게 자신의 불안과 두려움을 솔직하게 털어놓았다.

"루카스, 나는 가끔 내가 버틸 수 있을지 모르겠어요. 병이 점점 더 나빠지고 있다는 소식을 들을 때마다 너무 무서워요. 앞으로의 행복을 찾은 당신을 만났다는 생각에

행복한데.. 이 행복이 빨리 끝나는 것은 아닐까." 엘리나는
눈물을 참으며 말했다.

루카스는 엘리나를 안아주며 말했다. "엘리나, 나는 당
신이 얼마나 강한지 알아요. 우리는 함께 이겨낼 수 있을
거예요. 당신은 혼자가 아니에요. "

#. 엘리나의 집
그들은 병원에서 나온 후, 엘리나의 집으로 향했다. 엘
리나의 집에 있는 작은 정원이 그들을 맞이하였다. 정원
에는 그녀와 그녀의 어머니가 함께 직접 가꾼 꽃들이 만
발하게 둘을 반겨 주고 있었다. 엘리나는 루카스를 집 안
으로 들어가려다 그의 도움을 받아 정원에서 잠시 시간을
보내기로 했다.

정원에서는 새들의 지저귐과 바람에 흔들리는 꽃들이
이야기를 속삭이듯 향의 소리가 들렸다. 엘리나는 꽃을
둘러보며 자신의 생각을 잠시 정리했다.

"루카스, 나는 이 정원에서 많은 위로를 받아요. 여기

있는 꽃들은 내가 어릴 적부터 가꾼 것들이란 것, 알죠? 엄마와 함께 시작한 특별한 곳." 엘리나는 꽃을 바라보고 한 송이 한 송이, 손깃을 스치며 말했다.

루카스도 함께 꽃들을 바라보며 말했다. "여기 정말 아름다워요, 그러나 엘리나. (눈 웃음을 지으며) 당신보다는 안 이뻐요. 당신이 더 이쁘니까요. 당신이 이곳을 얼마나 사랑하는지 느껴지는 만큼 제가 당신을 지켜줄게요."

엘리나는 루카스의 장난에 마음의 안도를 받으며 잠시 꽃들을 바라보다가, 루카스를 향해 말했다. "루카스, 나는 가끔 이 병이 나를 지배하지 않도록 이 정원 꽃들과 이야기를 하며 여기에 와서 시간을 보내요. 꽃을 돌아보면서 나도 살아있다는 느끼는가 봐요."

루카스는 그녀의 말을 이해하며 고개를 끄덕였다. "당신이 이곳에서 평화를 찾을 수 있다니 다행이에요. 나도 당신과 함께 이곳에서 많은 시간을 보내고 싶네요."

그들은 정원에서 시간을 보내며, 서로의 이야기를 더

깊이 나누었다. 엘리나는 자신의 어릴 적 기억과 엄마와의 추억을 이야기했고, 루카스도 자신의 가족과 어린 시절의 경험을 나눴다. 두 사람은 이렇게 서로의 삶에 대해 더 많이 알게 되었고, 그들의 유대는 더욱 깊어져 갔다.

정원에서의 시간을 마친 후, 엘리나는 루카스를 집 안으로 초대했다. 집 안은 아늑하고 따뜻한 분위기를 풍겼고 거실 안 벽난로의 불빛은 "어서와!"라고 하는 듯 둘을 따뜻하게 맞이했다. 벽난로 앞에는 엘리나가 처음 루카스를 데려와 함께 이야기를 나누었던 푹신한 소파와 안락의자가 놓여 있었다. 그리고 장식품 주변 벽에는 엘리나가 어릴 적부터 모아온 책들이 가득히 책장에 채워져 있었다.

엘리나는 거실에 있는 티포트를 가져와 루카스에게 차를 내줬다. 두 사람은 차를 마시며 더 많은 이야기를 나누었다. 엘리나는 자신의 꿈과 소망, 그리고 앞으로의 계획에 대한 자신의 이야기를 했다.

"루카스, 나는 언젠가 이 병을 이겨내고, 다시 여행을 떠나고 싶어요. 새로운 곳을 보고, 새로운 사람들을 만나고 싶어요." 엘리나는 눈을 반짝이며 말했다.

루카스는 그녀의 이야기를 경청하며, 자신의 마음이 함께함을 보이며 그 여행에 함께하겠다고 약속했다. "엘리나, 당신의 꿈을 듣고 나니 정말 모든 것이 다 세상을 가진 것 같아요. 당신의 희망이 헛되이 되지 않도록 나와 함께 해요. 나는 당신이 원하는 것을 이루도록 곁에 있어 줄게요."

엘리나는 그의 말에 행복한 미소 지으며 답했다.
"고마워요, 루카스. 당신의 마음이 앞으로도 나와 함께 나에게 큰 힘이 되어 줬으면 해요."

그날 저녁, 루카스는 엘리나의 집을 떠나기 전에 다시금 한 번 더 그녀에게 약속했다. "우리는 함께 이겨낼 거예요, 엘리나. 당신이 겪는 모든 어려움에 내가 항상 함께 할 테니 걱정하지 말고 우리 나아가요."

엘리나는 그의 말을 듣고, 마음 깊이 감동과 행복함이 영원함을 그리듯 루카스를 돌려보내기 전 루카스의 손을 잠시 잡고 바라보며 "루카스, 당신은 앞으로 나에게 정말 특별한 사람이 될 것 같아요. 나도 당신을 위해 모든 것을 함께 하고 싶어요."

사 랑 의
시 작

제4장 사랑의 시작

#. 루카스의 집

엘리나와 루카스는 함께한 시간이 쌓여가며 서로에게

점점 더 특별한 존재가 되었다. 그날 저녁, 엘리나는 루카스의 초대를 받아 그의 집을 방문하게 되었다. 루카스의 집도 아늑하고 따뜻한 느낌을 주는 곳이었다. 마치 엘리나는 자신의 집에 온 것 같은 포근함이 느껴졌다. 루카스의 집 역시 벽난로의 불꽃은 은은한 빛을 발하며 거실 안을 따뜻하게 데우고 있었고, 창밖으로는 별빛이 반짝이고 있었다.

엘리나는 처음 방문하는 루카스의 집에서 약간 긴장한 듯했지만, 루카스의 집 분위기에 마음이 안정되었고 루카스는 환한 미소로 엘리나를 맞이하며 따뜻하게 맞아주었다. "어서 와요, 엘리나. 집이 좀 작지만 편하게 있어요."

엘리나는 미소를 지으며 대답했다.
"고마워요, 루카스. 집이 정말 아늑해 보여요. 마치 저의 집에 온 듯한 포근함도 함께 느껴지네요."

루카스는 엘리나에게 무언가 특별한 요리를 해주고 싶었다. 부엌에서는 향긋하고 맛있는 음식 향기가 엘리나의 코를 자극하였다. "저녁 식사를 준비하고 있었어요." 그가 말했다.

　루카스가 만드는 음식의 향기가 집안 가득 퍼졌다. 엘리나는 거실에서 편안한 옷차림으로 소파에 앉아 책을 읽으며 잠시 루카스가 준비하는 동안 시간을 보냈다. 그러나 그녀는 루카스의 저녁 준비에 궁금한 듯 슬그머니 루카스에게 다가가 루카스의 허리를 안고

　"루카스, 무슨 음식을 만들고 있어요? 향이 정말 좋아요." 고개를 살짝 들어 루카스를 향하며 물었다.

　루카스는 엘리나를 바라보며 웃었다. "어.. 위험해요. 잠시만, 당신을 위한 특별한 파스타를 만들고 있었어요. 당신이 좋아할 거예요."

　잠시 후, 루카스는 준비한 접시에 파스타를 담아 엘리나와 함께 식탁에 앉아 서로의 눈을 바라보며 저녁을 먹기 시작했다. 대화는 자연스럽게 흘러갔고, 서로에 대한 깊은 이해와 애정이 느껴졌다.

"우와! 정말 맛있어요. 루카스, 당신과 함께 있는 이 시간이 정말 행복하고 소중해요. 요즘 들어 내가 더 강해진 것 같아요. 모든 것이 루카스 덕인 것 같아요." 엘리나는 진심 어린 눈빛을 보내며 말했다.

루카스는 그녀의 손을 잡으며 대답했다. "엘리나, 나도 그래요. 당신과 함께하는 시간이 나에게도 큰 의미가 있어요. 우리는 함께 더 강해지고 함께 성장해 갈 수 있어요. 엘리나.."

그들의 대화는 밤늦게까지 이어졌고, 엘리나와 루카스는 서로의 존재가 얼마나 중요한지 더 깊어짐을 깨달았다. 시간이 흘러 엘리나는 피곤함을 느끼며 눈을 비볐다.

"루카스, 오늘 정말 즐거웠어요. 하지만 이제 슬슬 잠자리에 들어야 할 것 같아요." 엘리나는 아쉬운 듯 말했다.

루카스는 부드럽게 미소 지으며 그녀를 배웅했다.
"좋아요, 엘리나. 내일 또 봐요. 좋은 꿈 꾸길 바래요."

엘리나는 집으로 돌아가며 오늘 하루를 되새겼다. 루카스와 함께한 시간은 그녀에게 큰 위안과 행복을 주었다. 그녀는 루카스가 준비한 저녁과 그의 따뜻한 환대에 감동했고, 그와의 시간이 더욱 기다려졌다. 루카스는 엘리나가 안전하게 집으로 돌아갈 수 있도록 끝까지 배웅했다. 두 사람은 아쉬운 마음을 뒤로하고 작별 인사를 나눴다. 루카스는 엘리나가 집으로 들어가는 것을 확인한 후에야 돌아섰다.

#. 호수 주변 공원

며칠 후, 엘리나는 다시 루카스를 만나기 위해 호수 주변 공원으로 향했다. 루카스는 엘리나에게 공원의 아름다움을 보여 주고 싶었다. 공원은 조용하고 평화로웠으며, 호수는 맑고 잔잔했다. 엘리나와 루카스는 손을 잡고 호수 주변을 산책하며 서로의 이야기를 나누었다.

호수 주변 공원의 여름 햇살은 따뜻하게 내리쬐었고, 나뭇잎 사이로 빛이 반짝였다. 나무 사이로 불어오는 바람은 산들바람이었고, 새들은 즐겁게 지저귀며 호수 위를 날아다녔다. 호수 가장자리에는 연꽃들이 피어 있었고, 물

위로는 작은 물고기들이 헤엄치고 있었다. 엘리나는 이 모든 풍경이 꿈처럼 느껴졌다.

"루카스, 이곳은 정말 아름다워요. 당신과 함께 이곳에 오니 더욱 특별하게 느껴져요." 엘리나는 눈을 반짝이며 말했다.

루카스는 엘리나를 바라보며 말했다. "엘리나, 나도 그래요. 당신과 함께 있는 이 순간이 너무 소중해요. 그래서 이곳을 당신에게 보여 주고 싶었어요."

그들은 호수 가장자리에 있는 벤치에 앉아 주변 풍경을 감상했다. 호수 위로는 새들이 날아다니고, 나무 사이로는 바람이 살랑거렸다. 엘리나는 루카스에게 기대어 그 순간의 포근함을 만끽했다.

"루카스, 나는 가끔 내 안에 있는 병이 나를 지배하려 할 때마다 당신과의 시간을 떠올려요. 당신이 나에게 준 힘과 사랑이 나를 버티게 해주고 있어요." 엘리나는 조용히 말했다.

루카스는 그녀의 손을 꼭 잡으며 대답했다. "엘리나, 당신은 나에게도 큰 힘이 돼요. 우리는 함께 이겨낼 수 있다고 했죠. 기억나죠. 내가 했던 말들... 그리고 나는 당신을 항상 지켜주고 사랑할 거예요."

엘리나는 그의 말을 듣고 눈물이 고였다. "루카스, 나도 당신을 사랑해요. 당신과 함께라면 어떤 어려움도 이겨낼 수 있을 것 같아요."

그들은 서로를 바라보며 사랑의 고백을 나눴다. 그 순간, 두 사람의 마음은 하나가 되었고, 그들의 사랑은 더욱 깊어졌다. 호수 주변 공원의 고요함도 둘만의 시간을 주고 싶었는지 시원한 바람의 멜로디가 그들의 뺨을 스쳐주고 있었다. 그들은 서로의 존재를 더 깊이 알게 되고 진심을 확인하며 앞으로의 삶을 함께할 것을 공원 속의 자연에게 맹세하듯 작은 입맞춤과 함께 다짐했다.

그러던 중 갑자기 비가 쏟아지기 시작했다. 엘리나와 루카스는 비를 피하기 위해 서둘러 호수 주변을 벗어나야 했다. 비는 점점 더 강해졌고, 두 사람의 옷은 젖어가며 루카스의 집으로 달려갔다.

#. 루카스의 집

비에 흠뻑 젖은 엘리나와 루카스는 서둘러 루카스의 집으로 돌아왔다. 집 안은 여전히 따뜻한 분위기를 자아내고 있었고, 벽난로의 불꽃은 부드럽게 흔들리며 거실 안은 밤의 냉기를 온기로 바꿔주며 그들을 환영하고 있었다. 두 사람은 젖은 옷을 갈아입고 따뜻한 담요를 두르고 소파에 앉아 엘리나가 감기에 걸리지 않도록 엘리나의 몸에 젖은 비의 물기를 말려 주었다.

그리고 루카스는 엘리나에게 따뜻한 차를 건네주며 말했다. "비 때문에 이렇게 젖을 줄은 몰랐네요. 괜찮아요?"

엘리나는 미소를 지으며 대답했다. "괜찮아요, 루카스. 오히려 이런 순간들이 더 기억에 남을 것 같아요."

루카스는 엘리나의 젖은 머리를 부드럽게 손으로 닦아주며 말했다. "엘리나, 당신의 살결과 당신의 향기를 이렇게 가까이서 느끼는 것이 처음인 듯 참 좋네요."

엘리나는 루카스의 손길에 따뜻함을 느끼고 루카스의 품에 기대며 말했다. (엘리나는 약간 부끄러워하며) "나도 느껴져요. 루카스. 당신 품의 향기, 참 따뜻하네요. (조금 더 루카스의 품에 기대며) 당신과 함께 있으면 어떤 상황에서도 마음이 안정되고... 너무 좋다."

그들은 소파에서 루카스의 방으로 이동했다. 지금의 이 온기를 느끼며 조용히 시간을 보냈다. 비가 둘의 사랑을 훔쳐보는 듯 창문을 두드리는 소리가 방 안에 울려 퍼졌다. 엘리나는 루카스의 가슴에 깊이 품으며 그 순간의 평화, 포근함, 깊은 사랑을 느꼈다.

"루카스, 나는 이제 당신과 함께하는 미래를 꿈꿔요. 우리가 함께할 모든 이 순간이 설레이고 기대되네요." 엘리나는 애교스런 눈빛 미소를 지으며 말했다.

루카스는 그녀를 바라보며 대답했다. "엘리나, 나도 그래요. 우리는 함께 많은 것을 이뤄낼 거예요. 그리고 나는 항상 당신 곁에 당신을 사랑하고 함께 있을게요."

그들은 서로를 꼭 안으며 짧은 입맞춤의 아쉬움을 아는지 그들의 입술은 깊게 둘의 키스로 그날 밤을 마무리했다. 그들의 사랑은 이제 막 시작되었고, 앞으로의 여정에서 함께할 미래가 기다리고 있었다. 엘리나와 루카스는 더욱 깊어진 둘의 관계에 더 강해지고, 사랑의 힘으로 모든 어려움을 극복할 준비가 되어 있었다.

사 랑 의
불 시 착

[불화의 변화] 사랑의 불시착

엘리나와 루카스는 어린 시절 우연한 만남으로 서로를
알아가며 함께라는 마음에 서로를 깊이 사랑하게 되었다.

그러나 성인이 되면서 둘 사이에는 예상치 못한 갈등이 생겨나기 시작했다. 이 갈등은 때때로 둘을 멀어지게 했지만, 결국 그들의 사랑을 더욱 단단하게 만들어 줄 것으로 보였다.

#. 오해와 화해

어느 여름날, 엘리나와 루카스는 해변에서 데이트를 즐기고 있었다. 둘은 해변의 작은 카페에서 시원한 음료를 마시며 한가로운 오후를 보내고 있었다. 그러나 작은 오해가 큰 싸움으로 번지게 되었다. 그것은 서로 간의 일상 속의 지침에서 오게 된 오해였다.

"엘리나, 너는 요즘 너무 바쁜 것 같아. 나와의 시간은 중요하지 않은 거야?" 루카스가 불만스럽게 말했다.

"무슨 소리야? 나는 너와 함께 있는 시간이 언제나 소중해. 하지만 나도 지금은 할 일이 많아졌잖아." 엘리나가 짜증 섞인 목소리로 답했다.

"그래, 바쁜 것은 이해해. 그렇지만 내가 너에게 연락

할 때마다 너는 이런, 저런 일들로 나를 피하는 듯, 항상 바쁘다면서 시간을 내주지 않으려 하잖아. 넌, 내가 중요하지 않은 것 같다는 생각을 들게 해. 너에게 난 뭐야?"
루카스는 눈에 불만과 실망이 가득한 표정으로 물었다.

"너무 예민한 거 아니야. 애처럼 징징대지 마. 나도 너와 늘 많은 시간을 보내고 싶어. 그러나 지금은 학업과 일 때문에 바쁜 걸 어떻게 해? 나도 속상하단 말이야."
엘리나는 억울한 표정으로 말했다.

"늘 바쁘다는 핑계만 대네. 너만 속상한 줄 알아. 나도 속상해. 네가 정말 나를 중요하게 생각한다면, 시간을 좀 낼 수도 있는 거 아니야." 루카스는 소리를 치며 더 이상 참을 수 없다는 듯이 자리에서 일어났다.

"정말, 내가 너에게는, 네가 필요할 때만 있으면 되는 그저 부르면 나타나는 옵티머스인 줄 알아."
그는 화를 내며 자리를 떠났다.

엘리나는 눈물이 핑 돌았다. 그녀는 루카스가 자신을

이해하지 못해 서운했다. 며칠 동안 둘은 서로 연락을 하지 않았다. 그렇게 한참, 시간이 지나는 동안 엘리나는 루카스를 향한 자신의 감정을 돌아보았다. 그리고 루카스 또한, 그 시간 동안 엘리나에 대한 마음 생각과 엘리나의 말과 나의 말에 상처 입었을 상황을 이해하려 애썼다.

며칠 후, 루카스는 엘리나를 찾아갔다. 루카스는 비 오는 엘리나의 집 앞에서 엘리나가 올 때까지 기다렸다. 그리고 엘리나가 오고 있었다.

"엘리나, 우리 잠시 시간 좀 내줘. 할 말 있어." 루카스가 잔잔한 목소리로 말했다.

그들은 잠시 길을 걸어 해변 근처의 비를 피해 한적한 벤치를 찾아 앉았다. "미안해, 엘리나. 내가 너무 이기적이었어. 네가 얼마나 바쁜지 그리고 힘들다는 걸 알면서도 나도 힘들었나 봐. 이해하려고 했지만, 잘 받아들일 수가 없었어. 요즘 내가 잠시 힘들었는데, 널 더 못 보니까 더 힘들었나 봐. 미안해."

엘리나는 그의 손을 잡으며 눈물이 다시 핑 돌며 미소 지었다. "그렇게 헤어지고 나도 생각 많이 했어. 이게, 뭐야. 비에 옷이 다 젖었잖아. 으응. 나도 미안해, 루카스. 나도 루카스 마음을 생각했어야 했는데, 그걸 신경 못 쓴 것 같아. 미안해. 루카스도 힘들었을 것을, 서로 아는데 그리고 서로 더 많이 의지하고 이해하고 배려했어야 했는데, 그러지 못한 것 같아서 나도 미안해."

"아니야. 내가 더 미안해. 너무 어리광 부린 것 그리고 나도 엘리나를 더 이해했어야 했어. 또한, 엘리나를 믿어야 했는데 그렇지 못한 것도 미안해." 루카스도 미안한 마음을 감추지 않고 진심으로 말했다.

(엘리나) "우리 각자의 삶이 중요한 만큼," (루카스) "서로를 이해하는 것도 중요하니까." (엘리나, 루카스) "사랑해" 그들은 서로를 앉아 주었다.

#. 또 하나의 질투와 충돌, 그리고 오해

대학 생활로 바빠진 엘리나와 루카스는 각자의 꿈을 이루기 위해 조금은 떨어진 도시에 가게 되었다. 각자의 대학 생활의 변화로 인한 둘 사이는 조금 달라지기 시작했다. 엘리나는 유명한 미술 대학에, 루카스는 유명한 공과 대학에 입학하게 되었다.

엘리나가 있는 도심의 캠퍼스는 예술과 창의성이 넘쳐나는 활기찬 곳이었다. 엘리나는 바쁜 일정 속에서도 자신만의 작품을 만들며 시간을 보냈다. 반면, 루카스가 있는 도심은 기술과 혁신의 중심지였다. 루카스는 연구와 프로젝트로 바쁜 나날을 보냈다. 그들은 서로의 바쁜 일상을 이해와 존중으로 연락을 서로 자제하곤 했다.

그러던 어느 날 저녁, 루카스는 지친 몸을 가누며 엘리나가 잘 지내고 있는지 궁금했다. "엘리나에게 전화를 걸었다. "엘리나, 잘 지내고 있어? 힘든 것은 없어? 보고 싶다. 잠시 목소리 듣고 싶었어."

"고마워. 나도 보고 싶다. 내가 먼저 전화했어야, 하는데 미안하고 고마워. 루카스. 요즘 전시 준비 때문에 너무 바빠서 지금은 피곤하다. 루카스, 잘자." 엘리나는 피곤한 목소리로 대답했다.

    그들은 그렇게 가볍게 통화 안부를 남긴 채, 서로 수화기를 내려놓았다. 그렇게 루카스는 엘리나의 전시회가 멋지게 성공하길 기원하며 잠에 들려 하는데 문뜩, 엘리나의 전화 속에서 들렸던 작은 낯선 목소리가 거슬렸다.

    며칠 후, 루카스는 잠시 여유로운 일정이 생겨 엘리나를 만나기로 했다. 엘리나에 서프라이즈 낌짝 이벤트를 생각하고 방문하기로, 결심하여 그녀의 도심으로 향했다. 그러나 엘리나의 전시 행사에서 그녀가 다른 남자와 함께 웃고 있는 모습을 보게 되었다. 그 남자는 엘리나의 전시회를 도와주고 있는 학과 선배였다.

    루카스는 저번 통화 안부에 들렸던 낯선 목소리가 생각났다. 루카스는 갑작스레 분노와 실망에 가득 찬 목소리로 엘리나에게 다가갔다. "엘리나, 이게 바로 네가 바쁘다는 이유였어? 다른 사람과 함께 낄낄대고 웃으며 즐겁게 시간을 보내느라 소식도 뜸했던 거야?"

    엘리나는 깜짝 놀라며, 말했다. "루카스, 이 사람은 그냥 선배야. 전시회 준비를 도와주고 있을 뿐이야. 왜 그래?"

"나는 너를 위해 깜짝 서프라이즈로 찾았는데 너는 다른 사람과 웃고 떠들고 있느라 내가 안 보이잖아." 루카스는 화를 참지 못하고 소리쳤다.

"왜 이렇게 또, 예민하게 구는 거야? 너도 바쁘잖아. 그리고 우리 서로의 생활을 이해하자고 했었잖아. 저 사람은 그냥 이 전시를 돕는 선배일 뿐이라고." 엘리나는 눈물을 글썽이며 말했다.

#. 잠시의 이별

이 싸움은 루카스의 질투심이 불러왔을지 아님, 엘리나의 다른 남자가 생긴 걸까 하는 불안의 충돌이 둘 사이의 오해를 더 깊게 만들었다. 결국, 둘은 잠시 조금 더 각자의 삶에서 생각할 시간이 필요했다. 헤어지기로, 결심한다.

그렇게 둘은 각자의 삶을 돌아보며 서로에 대한 사랑을 다시 생각하게 되었다. 엘리나는 전시 행사를 마무리하면서 루카스를 떠올렸고, 루카스는 자신 일에 집중이 되지 않고 수시로 그녀를 떠올리며 노트에 그녀를 위한 메모와

생각들을 적어 나갔다. 시간으로 흐르고

#. 성장, 재회와 화해

그들은 더욱 자신들의 일상에서 성장해 가는 성인이 되어갔고 엘리나와 루카스는 서로의 차이를 이해하고, 다양한 감정들과 갈등을 통해 성장하게 되었다. 그들은 싸움과 화해를 반복하면서 서로의 마음속 깊이도 느끼게 되고 더 깊은 사랑을 키워갔다.

그들은 잠시 시간을 가져 본 후, 어느 날 다시 만나게 되었다. 엘리나는 루카스에게 말했다. "우리가 그동안 겪은 모든 일들 속에서 생긴 상처와 갈등이 우리를 더욱 그리움으로 서로의 마음을 알 수 있었고 진심으로 우리가 서로를 아끼고 사랑한다는 것을 알게 되었어. 앞으로도 우린 서로가 조금만 여유를 갖는다면 우리의 관계는 더 아름다워질 것 같아. 나는 너와 함께하는 모든 순간이 소중해. 그리고 널 아직도 지금도 사랑해."

루카스는 그녀를 따뜻하게 안으며 말했다. "정말 미안해. 맞아, 내가 너를 너무 보고 싶었나 봐. 그리고 너무 예민한 것에 사과해. 다신 오해를 일으키지 않도록 조심할게. 엘리나. 엘리나의 말처럼 우리는 서로를 이해하고 사랑하는 법을 배워 간 것 같아. 그리고 나는 너와 함께할 미래가 기대돼. 엘리나, 내가 널 많이 사랑하는 거 알지? 항상 믿고 지켜줄게. 사랑해."

그들의 사랑은 그렇게 성장해 나아갔고, 서로를 더욱 깊이 이해하고 항상 배려해야 함을 깨닫고 서로 신뢰의 소중함을 알아가며 엘리나와 루카스는 진정한 사랑의 의미를 더욱 키워나갔다.

성 장 의
흐 름

제5장 성장의 흐름

\#. 엘리나와 루카스의 성장

몇 해가 지난, 어느덧 그들은 더욱, 더 성장한 성인이 되었고 성인이 된 둘의 성장 과정 속에서 지금의 사랑이 순조롭게 평온하지만은 않았었다. 서로 각자의 삶도 그려지며 엘리나는 대학을 졸업하고 첫 직장 생활을 시작했다. 첫 출근 날, 그녀는 약간의 긴장과 설렘을 안고 회사에 도착했다. 복도에선 어렴풋이 커피 향이 퍼져 나왔고, 동료들의 조용한 웃음소리가 들려왔다. 새로 만난 동료들과의 관계를 형성하고 업무를 익혀가며, 엘리나는 점점 더 독립적이고 자신감 있는 모습으로 변해갔다. 그러나 새로운 환경에 적응하는 것은 쉽지 않았다.

엘리나는 동료들과의 관계에서 미묘한 갈등을 느끼기도 했다. 특히, 팀 내의 경쟁은 그녀를 더욱 긴장감을 만들었다. 엘리나는 아침마다 사무실에 들어서면 동료들이 다정하게 인사하는 것과 동시에, 그들 사이에서 은근한 경쟁의 기류를 느꼈다. 한 번은 팀 미팅 도중, 동료 중 한 명인 제임스가 엘리나의 아이디어를 비판했다.

"엘리나, 그 아이디어는 실행 가능성이 낮아 보여요. 좀 더 현실적인 접근이 필요해 보여요," 제임스는 단호하게 말했다.

엘리나는 조용히 숨을 고르며 대답했다. "네, 제임스. 다시, 한 번 검토해 볼게요."

어느 날, 엘리나는 중요한 프로젝트의 보고서를 준비하면서 데이터를 잘못 입력하는 큰 실수를 저질렀다. 상사는 그녀를 호출해 회의실로 데려갔다. 회의실 문을 열고 들어서자, 상사의 얼굴은 굳어 있었다. 상사는 보고서를 책상 위에 놓고 엘리나를 향해 말을 꺼냈다.

"엘리나, 이런 실수는 있어서는 안 돼요. 더 신중하게 일해야 해요," 상사는 단호하고도 명령적이었다.

엘리나는 손끝이 차가워지며 눈물을 삼키며 고개를 끄덕였다. "죄송합니다. 다시는 이런 실수를 하지 않도록 노력하겠습니다."

그날 저녁, 엘리나는 루카스를 만나러 갔다. 집 앞에서 기다리고 있는 루카스를 보자 엘리나는 참아왔던 눈물이 터질 듯 그러다 차가운 바람이 그녀의 뺨을 스치자, 그녀는 흐느끼기 시작했다.

"루카스, 오늘 정말 힘들었어. 내가 큰 실수를 저질렀어," 엘리나는 흐느끼며 말했다. 눈물이 볼을 타고 흘러내려왔다.

루카스는 그녀를 따뜻하게 안아주며 부드럽게 등을 토닥였다. "엘리나, 누구나 실수를 해. 중요한 건 그 실수를 통해 배우는 거야. 너는 잘 해낼 거야."

엘리나는 그의 위로에 조금은 마음이 놓였지만, 마음 한편에는 자신에 대한 실망과 불안이 남아 있었다. 그녀는 자신의 능력을 의심하기 시작했다. 회사로 돌아가면 제임스와 동료들이 다시 그녀를 어떻게 볼지 걱정이 되었다. 그녀는 다음 날 출근길 지하철에서 창밖을 바라보며 깊은 한숨을 내쉬었다.

회사로 들어서자, 동료들은 각자 업무에 몰두해 있었다. 엘리나는 조용히 자리에 앉아 컴퓨터를 켰고 이메일을 확인하던 중, 상사로부터 온 피드백 메일을 보았다. 메일에는 그녀의 실수에 대한 지적과 함께, 어떻게 개선할 수 있는지에 대한 조언이 담겨 있었다.

"엘리나, 이번 프로젝트의 데이터를 재검토해서 정확히 수정하세요. 그리고 앞으로는 작은 실수라도 놓치지 않도록 주의 깊게 검토하는 습관을 들이세요." 메일에는 상사의 냉정한 조언이 담겨 있었다.

엘리나는 깊은 한숨을 내쉬고, 상사의 피드백을 마음에 새기며 데이터를 다시 검토하기 시작했다. 손끝에 힘을 주어 키보드를 두드리며 더, 이상 실수를 반복하지 않겠다고 다짐했다.

며칠 후, 엘리나는 상사에게 다시 보고서를 제출했다. 상사는 보고서를 천천히 검토한 후, 엘리나를 바라보며 말했다. "그래, 이거야. 하면 되잖아. 참! 잘, 했어요. 엘리나. 앞으로도 계속 이렇게 잘 해줘요."

엘리나는 상사의 격려에 작은 미소를 지으며 고개를 숙여 인사를 했다. "감사합니다. 앞으로 더 노력하겠습니다."

엘리나는 회사 생활 속에서 작은 승리를 맛보며, 자신감을 되찾기 시작했다. 동료들과의 관계도 서서히 나아지기 시작했다. 그녀는 점점 더 독립적이고 자신감 있는 모습으로 성장해 나갔고 이는 루카스와의 관계에도 긍정적인 영향을 미쳤다. 그녀는 자신의 도전과 성장을 통해, 더 나은 자신으로 거듭나고 있었다.

한편, 루카스도 새로운 도전을 맞이하게 되었다. 그는 자신의 작은 카페를 오픈하기로 결심을 세웠다. 카페는 루카스의 오랜 꿈이었지만, 현실은 생각보다 더 어려웠다. 초반에는 손님이 적어 어려움을 겪었고, 운영비를 충당하기 위해 야근을 하기도 했다.

루카스는 카페의 인테리어와 메뉴 개발에도 많은, 노력을 기울였다. 그는 벽을 밝은 색으로 칠하고, 따뜻한 조명을 설치해 아늑한 분위기를 만들려고 했다. 또한, 새로운 메뉴를 개발하기 위해 여러 레시피를 시도해 보고, 지역 농산물을 사용하는 친환경적인 접근을 시도했다. 하지만 매출은 좀처럼 오르지 않았고, 그는 큰 좌절감을 느꼈다.

엘리나에게는 걱정을 끼치고 싶지 않아 혼자 해결하려고 했지만, 점점 더 지쳐갔다. 그는 아침 일찍 일어나 가게를 열고, 밤늦게까지 손님을 기다리며 하루를 보냈다. 그러던 어느 날, 루카스는 카페의 매출이 급감한 것을 본 후 큰 좌절감을 느꼈다. 그는 결국 엘리나에게도 말을 털어놓게 되었다.

엘리나는 루카스의 얼굴에 피로와 걱정이 가득하다는 것을 알아차렸다. "루카스, 무슨 일이 있어? 왜 이렇게 피곤해 보여?" 그녀는 조심스럽게 물었다.

루카스는 한숨을 쉬며 대답했다. "카페가 잘 안 돼서 걱정이야. 생각보다 더 어려울 것 같아."

엘리나는 과거에 루카스가 자신을 손을 잡아 주었던 그때를 떠올리며 그의 손을 꼭 잡으며 말했다. "루카스, 나도 도와줄게. 우리 함께 이겨내자. 당신이 나에게 해준 것처럼..."

루카스의 카페 운영에는 여러 주변 인물들도 영향을 미

첬다. 이웃 상점 주인인 미스터 김은 루카스에게 조언을 주곤 했다. 어느 날, 미스터 김은 루카스에게 다가와 말했다. "루카스, 나는 네 카페가 잘 되길 바란다. 하지만 이 동네는 경쟁이 치열해. 차별화된 무언가가 루카스의 카페에는 필요할 것 같아."

루카스는 고개를 끄덕이며 고민에 빠졌다. "네, 그렇군요. 미스터 김. 차별화된 무언가를 찾아보도록 할게요. 고마워요."

또한, 루카스는 종종 카페를 방문하는 단골손님들과도 대화를 나누며 피드백을 수집했다. 한 번은 단골손님인 제시카가 말했다. "루카스, 당신의 커피는 훌륭해요. 하지만 메뉴가 좀 더 다양했으면 좋겠어요. 그리고 주말에는 라이브 음악 같은 이벤트를 열어보는 건 어떨까요?"

루카스는 제시카의 제안을 진지하게 받아들였다. "좋은 생각입니다. 제시카. 라이브 음악 이벤트를 고려해볼게요."

루카스는 손님들의 피드백을 반영해 카페의 분위기를

바꾸고, 새로운 메뉴를 도입했다. 그는 주말마다 작은 라이브 음악 공연을 열어 운영하기로 했다. 또한, 특별한 계절 메뉴와 테마 이벤트를 기획해 손님들의 관심을 끌어들이려 노력했고 많은 것을 준비해 나갔다. 그러나 여전히 매출은 기대만큼 오르지 않았다.

엘리나는 직장 외 시간에 루카스와 함께 카페를 운영하며 도움을 주었다. 그녀는 주말마다 카페에서 일손을 도우며, 고객들과 소통하고 루카스를 격려했다. "루카스, 우리 계속해서 노력하자. 우린 잘할 수 있어. 너의 카페는 분명 성공할 거야."

어느 날, 루카스는 엘리나와 함께 카페를 방문한 후, 깊은 한숨을 내쉬며 말했다. "엘리나, 나는 네 도움에 정말 고마워. 하지만 요즘 너무 지쳐가는 것 같고 엘리나도 힘들 것 같아."

엘리나는 그의 손을 잡으며 위로했다. "루카스, 네가 지쳐가는 것은 이해해. 하지만 우리는 함께 이겨낼 수 있잖아. 난 루카스, 너를 믿어. 지금까지도 나에게 힘이 되어 주었잖아. 이젠 내가 너의 힘이 되어 줄게. "

　루카스는 그녀의 지지에 힘을 얻어 다시, 한 번 더 힘을 내는 결심을 했다. 그는 새로운 아이디어를 시도하며, 카페의 성장을 위해 끊임없이 노력했다. 엘리나와 함께한 시간은 그에게 큰 힘이 되었고, 두 사람은 서로의 도전을 통해 더 깊은 관계를 맺게 되었다.

　루카스는 카페의 성공을 위해 꾸준히 노력하며, 자신의 꿈을 실현하기 위해 최선을 다했다. 엘리나는 그의 곁에서 끊임없이 지지하며, 두 사람은 함께 어려움을 이겨내기로 다짐했다.

　그리고 이런 성장 속에서 또한, 엘리나의 능력들 속에서 자신도 발견하지 못했던 능력을 꾸게 되는데 그것은 엘리나가 미래를 보는 예지몽을 꾼다는 것이다. 이 능력 역시 자신의 불치병을 악화시킨다는 것을 알고 있기에 조심스러워한다. 어느 날 루카스의 카페가 폐업 위기에 처한 꿈을 꾸었고 꿈속에서 그녀는 루카스가 좌절하는 모습을 보며 큰 슬픔을 느끼며 꿈에서 깨고 앞으로의 일어날 상황에 고민하기 시작한다. 다음 날, 엘리나는 루카스와 함께 카페를 방문했다. 그녀는 카페의 분위기를 세밀히 관찰하며, 작은 변화들이 큰 차이를 만들 수 있다는 것을 깨달았다.

"루카스, 여기에 몇 가지 변화를 줘보는 건 어때? 인테리어를 조금 바꾸고, 새로운 메뉴도 추가해보자, 중요한 것은 이벤트 보다, 손님들의 다양한 취향에 적합한 음식 메뉴, 취향 저격에 맞는 인테리어가 중요해 보여." 엘리나는 자신감 있게 말했다.

루카스는 처음에는 반신반의했지만, 엘리나의 진지한 표정을 보고 그녀의 제안을 받아들이기로 했다. 두 사람은 함께 힘을 합쳐 카페를 새롭게 단장하기 시작했다. 엘리나는 루카스가 주방에서 요리를 준비하는 동안, 카페의 벽을 새로 칠하고 아늑한 소파와 조명을 배치했다. 새로운 메뉴로는 손님들이 좋아할 만한 독특한 음료와 디저트를 추가했다. 엘리나는 카페의 분위기가 점점 살아나는 것을 보며 희망을 품었다.

하지만 엘리나와 루카스의 관계는 주변 인물들과의 갈등으로 인해 때론 흔들리기도 했다. 엘리나의 직장 동료 중 한 명인 줄리는 엘리나를 질투하며 괴롭혔다. 줄리는 엘리나가 상사에게 인정받는 것을 시기하며, 뒷담화를 하고 그녀를 곤란하게 만들었다. 어느 날, 줄리는 엘리나의 프로젝트 방해를 위해 일부러 잘못된 정보를 제공했다.

엘리나는 그 사실을 알게 되었을 때 큰 충격을 받았다. "줄리, 왜 이런 짓을 하는 거야? 난 너에게 잘못한 게 없잖아," 엘리나는 울먹이며 말했다.

줄리는 냉소적인 미소를 지으며 대답했다. "네가 잘 나가는 게 꼴 보기 싫어서 그랬어. 하지만 이제 알았으니 더 조심해. (엘리나를 치며) 흥!"

엘리나는 이 상황을 해결하기 위해 상사에게 모든 사실을 이야기했다. 상사는 줄리를 꾸짖고 엘리나에게 사과했다. 엘리나는 이번 일을 통해 직장 내에서의 인간관계가 얼마나 중요한지를 깨달았다.

엘리나는 자신의 능력을 쓰지 않으려 노력했으나, 무의식적으로 발현되는 능력을 막을 수는 없었다. 어느 날, 그녀는 회의 도중에 갑자기 주변의 사람들이 미래의 모습으로 변하는 것을 보았다. 이 능력이 나타날 때마다 엘리나는 심한 두통과 피로를 겪었다. 회의가 끝난 후, 엘리나는 화장실로 달려가 거울을 보며 눈물을 흘렸다. 그녀의 능력과 불치병이 다시금 그녀를 괴롭히고 있었다.

엘리나는 자신의 능력으로 인해 주변 사람들과의 관계가 어려워질 것을 두려워했다. 그녀는 자신의 병을 숨기고 싶었지만, 때로는 불가피하게 드러나는 능력 때문에 곤란한 상황을 맞기도 했다. 어느 날, 엘리나는 팀 프로젝트를 준비하던 중 동료인 제임스가 곧 다가올 문제에 대해 걱정하는 목소리를 들었다. 그러나 제임스는 실제로 그런 말을 한 적이 없었고, 이는 엘리나의 능력이 다시 발현된 것이었다.

엘리나는 제임스에게 다가가 말했다.
"제임스, 혹시 무슨 걱정이 있어?"

제임스는 놀라며 대답했다.

"어, 네가 어떻게 알았어? 사실 최근에 개인적인 문제가 있어서..."

엘리나는 자신의 능력이 사람들의 내면을 들여다보는 데 사용될 수 있다는 것도 알게 되어 이를 통해 사람들을 도울 수 있을지 고민하기 시작했다. 그러나 그녀의 불치병은 점점 더 심해졌고, 능력을 사용할 때마다 심한 통증과 혼란을 겪었다.

엘리나는 자신의 능력과 병으로 인해 점점 더 힘들어졌다. 그녀는 루카스가 걱정할까, 루카스에게도 이 사실을 털어놓지 못하고 혼자 고통을 견뎌냈다. 어느 날 밤, 그녀는 더, 이상 견딜 수 없고 참을 수 없어서 루카스에게 이 사실을 털어놓았다.

"루카스, 나 또 다른 사실 중 너에게 말하지 못한 게 있어. 나도 우연히 알게 되었어. 나는, 나는 미래를 볼 수 있는 능력이 생겼어. 원래 있었는지도 모르지만 그리고 이 능력이 사용되면서 불치병이었던 병의 고통이 심해지고 있었어. 미안해." 엘리나는 눈물을 흘리며 말했다.

루카스는 충격을 받았고 그녀를 안아주며 말했다. "엘리나, 왜 이제야, 말하는 거야. 내가 항상 곁에 있었잖아. 혼자 힘들게 만들지 마. 너와 나의 행복을 위해 우리 함께 치료 및 방안을 다시 찾아보자. 앞으로 다시 말하는데 혼자서 이겨내려고 하지 마. 네가 아프면 나도 아프니까."

엘리나는 그의 위로에 조금은 마음이 놓였지만, 여전히 자신에 대한 실망과 불안이 남아 있었다. 그리고 루카스를 힘들게 하고 싶지 않았다. 그래도 그녀는 자신의 능력과 병을 이겨내기 위해 루카스와 함께 노력하기로 약속하고 결심했다. 두 사람은 서로의 도전을 이해하고 지지하며, 더 깊은 사랑을 나누게 되었다.

그렇게 하루, 하루 한달 한달 시간은 흘러 카페의 매출은 점점 올라갔고, 엘리나는 직장에서 동료들과의 관계를 조금씩 개선해 나갔다. 엘리나의 능력은 여전히 그녀를 힘들게 했지만, 그녀는 그것을 받아들이고 자신과 주변 사람들을 돕기 위해 사용하려 했다. 이에 루카스는 항상 그녀의 곁에서 응원하며 그녀의 아픔을 함께 감당하고 버팀목이 되어 주었다. 두 사람은 함께 어려움 또한, 극복하며 성장해 나아갔다.

성 숙 한
사 랑

#. 엘리나의 환경

엘리나와 루카스는 서로의 사랑과 지지를 통해 많은 어

려움을 극복하며 성숙해졌다. 하지만 그들에게는 여전히 많은 도전과 시련이 기다리고 있었다. 그들은 앞으로 다가올 미래를 함께 맞이하기 위해 더욱 단단해져야 했다.

엘리나는 회사에서 인정받기 시작하며 중요한 프로젝트의 팀 리더로 선정되었다. 그녀는 이 기회를 통해 자신의 능력을 더욱 발휘할 수 있을 것이라 기대했다. 하지만 팀 내에서는 여전히 갈등이 존재했다.

엘리나는 첫, 팀 회의를 준비하며 긴장과 기대를 동시에 느꼈다. 회의실로 들어서자 팀원들이 하나둘씩 자리를 잡았다. 동료였던 제임스, 줄리, 사라 그리고 몇 명의 신입사원이 그녀의 주위를 지켜주듯 둘러앉았다.

"엘리나, 이 부분은 이렇게 하면 더 효율적일 것 같아요," 팀원 중 한 명인 사라는 제안했다.

엘리나는 사라의 제안을 신중히 검토했다. "사라, 좋은 의견이에요. 그런데 이번 프로젝트에서는 우리가 정해진 방향을 따르는 게 더 좋을 것 같아요," 엘리나는 부드럽게 대답했다.

사라는 실망한 표정을 지었지만, 엘리나는 팀의 목표를 위해 결정을 내렸다. 회의 후, 동료였던 제임스가 엘리나에게 조용히 다가왔다.

"엘리나, 당신이 팀장이지만 사라의 의견도 나쁘지 않았어요. 좀 더 유연하게 생각해 보면 어떨까요?" 제임스는 조심스럽게 말했다.

엘리나는 동료였던 제임스 말에도 일리가 있어 보인다고 생각하고 고개를 끄덕이며 대답했다. "알겠어요, 제임스. 다음 회의 때 다시 논의해보죠."

엘리나는 팀원들의 다양한 의견을 존중하며, 팀원 개개인의 강점을 최대한 발휘할 수 있도록 노력했다. 그녀는 팀 내의 소통을 중요시하고 모든 의견을 경청하며 팀장 중심이 아닌, 팀원과 하나의 중심도 고려하며 애썼다.

엘리나의 회사는 높은 건물의 한 층을 차지하고 있었

다. 창문 너머로 도시의 전경이 한눈에 들어왔고, 사무실에는 활기찬 분위기가 감돌았다. 동료들은 각자의 업무에 열중하면서도 틈틈이 잡담을 나누곤 했다.

사라는 엘리나의 리더십에 대해 가끔 불만을 표했다.

"팀장님, 팀원들의 의견을 좀 더 받아들여 줬으면 좋겠어요." 그녀는 점심시간에 불평했다.

"사라, 네 의견을 무시하는 건 아니야. 다만, 프로젝트의 방향을 유지하려는 거야. 네 생각을 나도 존중해." 엘리나는 차분하게 설명했다.

제임스는 중재자로 나섰다. "자.. 자.. 우리는 한 팀이에요. 우리 모두의 목표는 이 프로젝트의 성공이에요. 한 팀으로 말이죠. 조금씩 양보하면서 서로 협력해 만들어 갑시다."

엘리나는 회의 때마다 팀원들의 의견을 경청하며, 그들의 강점을 최대한 활용하려고 노력했다. 그녀는 팀원들과의 신뢰를 쌓기 위해 소통에 신경 썼고, 그들의 성과를 인정하며 격려해 나아갔다.

#. 루카스의 환경

루카스는 카페를 재정비한 후에도 여전히 어려움을 겪는 상황들이 생기기도 하였다. 하지만 그는 엘리나와의 약속을 생각하며 포기하지 않고 새로운 결단을 내렸다. 그는 카페의 운영 방식 또한, 근본적인 서비스화의 변화 정비가 필요하다고 결심했다.

"엘리나, 나 새로운 메뉴를 개발하고 카페의 마케팅을 강화해보려고 해," 루카스는 자신감 있게 말했다.

"그래, 좋은 생각이야, 루카스. 나도 도울 수 있는 한 최대한 함께 도와줄게," 엘리나는 미소 지으며 대답했다.

루카스는 새로운 메뉴를 개발하기 위해 유명 셰프와 협력하고, SNS를 통해 적극적으로 마케팅을 시작했다. 그는 지역 농산물을 활용한 독특한 메뉴를 개발하고, 인테리어도 손님들이 편안하게 느낄 수 있도록 조금 더 포근하고 따뜻한 분위기로 바꾸었다. 그의 노력은 서서히 결실을 보이기 시작했다. 손님들은 점점 더 카페를 찾기 시작했고, 루카스는 다시 희망을 찾아가게 되었다.

루카스의 카페는 작은 골목에 위치해 있었지만, 독특한 분위기 변화 덕분에 입소문을 타기 시작했다. 그는 카페의 인테리어를 따뜻한 나무 소재와 밝은 색감으로 꾸며 손님들이 편안함을 느낄 수 있도록 했다. 매주 주말에는 작은 라이브 공연을 열어 손님들에게 더 많은 행복을 나눌 수 있는 특별한 경험을 제공했다.

루카스는 손님들의 피드백도 적극적으로 반영했다. "루카스, 이 디저트 정말 맛있어요. 메뉴에 계속 추가해 주세요," 단골손님 중 한 명인 제시카가 말했다.

"물론이죠, 제시카. 감사합니다," 루카스는 미소 지으며 대답했다.

그는 SNS를 통해 카페의 이벤트와 새로운 메뉴를 홍보하며 손님들과의 소통을 강화했다. 그의 노력 덕분에 카페는 점점 더 많은 사람이 붐비기 시작했고, 루카스는 그렇게 성장해 나아갔다.

#. 예기치 못한 위기

하지만 그들의 평화로운 일상은 오래가지 않았다. 엘리나의 건강이 점점 악화되기 시작한 것이다. 그녀는 점점 더 자주 예지몽을 꾸게 되었고, 그로 인해 신체적, 정신적으로 큰 고통을 겪었다.

어느 날, 엘리나는 회의 도중 갑자기 현기증을 느끼며 정신을 잃고 쓰러졌다. 동료, 팀원들은 놀라서 그녀를 병원으로 옮기며

"엘리나, 엘리나, 괜찮아요?" 제임스는 구급차 안에서 걱정스러운 눈빛으로 엘리나를 불렀다.

(응급 싸이렌을 울리며 구급차는 긴급히 달렸다.)

구급차는 병원에 도착하고 엘리나는 스트레처카에 실려 병원 안으로 이송되었다. 그렇게 몇 시간이 지난 후 엘리나는 깨어났다. 엘리나 옆에는 루카스와 그녀의 동료인 제임스가 함께 서 있었다.

"엘리나, 괜찮아. 어떻게 된거야." 루카스가 눈을 뜨는 엘리나를 보며 말했다.

"엘리나, 걱정했어요." 제임스도 엘리나를 보며 말했다.

"아, 괜찮아요. 잠시 어지러웠나봐요."
엘리나도 둘에게 응답을 보냈다.

엘리나가 정신을 차리고 깨어나자 안심된 제임스는 회사로 돌아가고 루카스가 함께 있었다. 그리고 병원에서 검사 결과를 기다렸다. 그녀의 상태는 생각보다 너무나도 심각했다. 의사는 그녀에게 휴식을 권장하며, 스트레스를 줄일 방법을 찾아야 한다고 말하며 입원도 권장했다.

#. 루카스의 헌신
엘리나가 병원에 있는 동안, 루카스는 그녀를 위해 모든 것을 희생할 생각을 하며 그는 카페 운영 활동을 조금 줄이고 엘리나에게 더 많은 시간을 할애했다.

"루카스, 나 때문에 너무 많은 걸 포기하지 마," 엘리나는 눈물 글썽이며 말했다.

"엘리나, 너는 나에게 가장 사랑스럽고 소중한 사람이
야. 지금은 너의 건강이 최우선이야, 난, 괜찮아." 루카스
는 따뜻하게 미소 지으며 대답했다.

루카스는 엘리나를 위한 요가 수업을 예약하고, 그녀가
스트레스를 줄일 수 있는 활동들을 찾아 나섰다. 엘리나
는 그의 헌신에 깊이 감동했고, 그들 사이의 사랑은 더욱
깊어졌다. 루카스는 엘리나가 자신을 돌볼 수 있도록 도
와주었고, 그 과정에서 둘은 더욱 더 깊은 사랑의 씨앗이
싹트기 시작하였다.

#. 새로운 희망
엘리나의 건강은 루카스의 헌신 덕분에 서서히 회복되
기 시작했다. 그녀는 예지몽을 절제하는 방법을 배우며,
자신의 능력을 조절하며 더 긍정적인 방향으로 활용하기
위해 노력했다.

"루카스, 나 이제 더 이상 두렵지 않아. 당신이 있어서

말이야. 우리는 수많은 상황도 이겨냈잖아. 함께라면 나아
질 것이라고 난 믿어." 엘리나는 미소 지으며 말했다.

루카스는 그녀를 꼭 안아주며 대답했다. "그래, 엘리나.
우리는 함께라면 무엇이든 할 수 있었어. 앞으로도 우린
잘 이겨 낼 거야. 사랑해. 엘리나. "

"나도 사랑해. 루카스 "

엘리나와 루카스는 앞으로의 미래를 함께 맞이할 준비
가 되어 있었다. 그들은 서로의 사랑과 지지를 통해 더
강해지고, 더 깊은 사랑을 나누며 새로운 희망을 품고 나
아갔다. 그들은 또한, 앞으로 발생할 어떤 어려움이 닥쳐
도 함께라면 이겨낼 수 있을 것이라 믿었다. 그들의 성숙
한 사랑은 더욱 아름답게 빛나고 있었다.

상 실 과
절 망

제7장 상실과 절망

엘리나와 루카스는 많은 어려움을 극복하며 성숙해졌지만, 이번에는 그들이 감당하기 힘든 시련이 다가왔다. 그들은 서로의 사랑과 지지를 통해 이겨내야만 했다.

#. 직장에서의 위기

엘리나는 대기업의 중요한 프로젝트를 맡아 많은 기대를 받았다. 그녀의 사무실은 도심의 한 고층 빌딩에 위치해 있었고, 넓고 현대적인 오피스는 투명한 유리 벽으로 나누어져 있었다. 직원들은 자유롭게 의견을 교환하며 일했지만, 그 이면에는 미묘한 긴장감이 감돌고 있었다.

사무실 내부는 하얀 벽과 회색 톤의 가구들로 구성되어 있어 차분하면서도 세련된 분위기를 자아냈다. 그러나 그 속에서 엘리나는 팀원 중 사라와의 갈등이 점점 깊어지는 것을 느꼈다.

"팀장님, 이번 결정은 정말 옳은 것 같나요?" 사라는 회의 도중 공개적으로 엘리나의 결정을 비판했다. 사라의 목소리는 날카로웠고, 그 순간 팀 회의실 안의 분위기는 싸늘해져 갔다.

엘리나는 차분하게 대답했다. "사라, 나는 팀의 의견을 모두 존중하지만, 이번 프로젝트의 방향은 우리가 미리 합의한 것이었어요. 더 나은 결과를 위해 모두가 함께 노력해서 협의로 결정하게 된 것이에요." 그녀의 목소리는 부드럽지만 단호했다.

그러나 회의가 끝난 후, 엘리나는 사라의 비판이 단순한 의견 차이가 아니라는 것을 느낄 수 있었다. 사라는 엘리나의 자리를 노리고 있었고, 엘리나를 넘어뜨리기 위해 모종의 계획을 세우고 있었다. 사라의 눈빛은 차가웠고, 사라의 행동과 팀의 분위기를 망치는 것에 엘리나는 큰 스트레스를 받기 시작했다.

#. 루카스의 비밀

한편, 루카스는 엘리나에게 말하지 못한 비밀을 가지고 있었다. 그는 몇 년 전부터 몸에 이상을 느끼고 있었지만, 카페와 엘리나를 위해 그 사실을 숨기고 있었다. 어느 날 밤, 루카스는 심한 통증을 느끼며 쓰러졌다.

"엘리나, 너에게 말하지 않은 게 있어. 너와 지내는 동안 나도 건강이 조금 약해졌었나 봐. 그러나 엘리나도 힘든데, 차마 말할 수가 없었어. 이제 말하게 되어 미안해." 루카스는 병원 침대에 누워 고백했다. 병실 안은 어두운 조명 아래 루카스의 창백한 얼굴을 비추고 있었다.

엘리나는 루카스의 병원 입원에 충격을 받았다. "루카스, 왜 이렇게 될 때까지 나에게 말하지 않았어? 우리가 함께 해결할 수 있었잖아." 그녀의 목소리는 떨렸고, 눈물은 그의 손을 감싸고 있었다.

루카스는 눈물을 흘리며 대답했다. "너에게 걱정을 끼치고 싶지 않았어. 엘리나의 병도 아는데, 하지만 우린 사랑하니까 이제는 숨길 수 없다는 걸 알게 되었어. 늦게 알게 해서 미안해. 엘리나." 그의 목소리는 힘겨웠고, 그 순간 병실 안은 싸늘한 정적이 흐르고 무거워졌다.

#. 엘리나의 상실

엘리나는 루카스의 병을 알게 된 후, 절망에 빠졌다. 그녀는 루카스를 잃을지도 모른다는 두려움에 휩싸였고, 자신의 예지몽이 루카스의 미래를 예고한 것임을 깨달았다. 그녀의 예지몽은 루카스가 심각한 병에 걸린다는 경고였다. 엘리나는 그동안 자신의 능력을 제대로 이해하지 못했고, 그로 인해 루카스를 지키지 못한 것 같았다.

엘리나는 자신의 능력을 통해 루카스를 도울 방법을 찾으려 결심했다. 그녀는 명상과 훈련을 통해 예지몽 등 자신의 보이지 않는 것과 들을 수 없는 것에 대한 능력들이 일어나지 않도록 통제하고, 루카스의 상태를 개선할 방법을 찾아 나섰다. 하지만 이는 쉽지 않았다. 그녀는 자신의 능력을 활용하는 데 한계가 있음을 깨달았고, 누군가의 병을 고치는 것에 마법 같은 능력이 아니었기에 점점 더 큰 절망에 빠져 갔다.

엘리나는 루카스가 입원해 있는 병원의 작은 정원에서 매일 명상을 했다. 루카스에게 무슨 일이 생기면 바로 달려가기 위함이었다. 정원은 고요했고, 작은 분수대에서 물이 흘러내리는 소리가 마음을 진정시켰다. 그녀는 자신의 능력을 더 잘 이해하고 활용하기 위해 노력했지만, 결과는 기대만큼 빠르게 나오지 않았다.

#. 직장 내 배신

엘리나는 사라의 배신을 알게 되었다. 사라는 엘리나의 프로젝트를 망치기 위해 고의로 잘못된 정보를 흘렸고, 엘리나는 그 사실을 상사에게 보고했다. 상사는 사라를 해고했고, 엘리나는 팀원들의 신뢰를 되찾기 위해 더욱 노력했다.

하지만 회사 내 분위기는 이미 나빠질 대로 나빠졌다. 엘리나는 사라의 배신으로 인해 큰 상처를 받았고, 팀원들과의 신뢰를 회복하는 것이 쉽지 않았다. 그녀는 직장 내에서의 지위와 신뢰를 다시 쌓아야 했다.

엘리나의 회사는 이제 불신과 갈등으로 가득 차 있었다. 엘리나는 팀원들과의 관계를 회복하기 위해 끊임없이 대화를 시도했고, 신뢰를 회복하려고 노력했다. 회의실에서 동료들과 나누는 대화는 조심스러웠고, 엘리나는 자신의 결정을 투명하게 공유하며 신뢰를 쌓으려 했다.

"팀장님, 최근 프로젝트 정말 대단했어요. 팀장님의 리더십 덕분에 우리가 성공할 수 있었어요." 팀원 중 한 명이 말했다. 그 순간 엘리나는 작은 희망을 느꼈다.

엘리나는 미소 지으며 대답했다. "모두가 함께 노력한 결과에요. 앞으로도 우리가 한 팀으로 함께한다면 어려운 프로젝트도 모두 성공시킬 수 있을 거예요." 그녀의 목소리에는 팀원들의 응원과 함께 다시 힘이 실려 있었다.

#. 상실과 절망의 끝

엘리나와 루카스는 각각의 상실과 절망을 겪으며 더욱 단단해졌다. 엘리나는 직장에서의 신뢰 회복을 위해 노력했고, 루카스는 자신의 건강을 되찾기 위해 최선을 다했다. 그들은 서로에게 힘이 되어 주며 어려움을 극복하기 위해 애썼다.

엘리나는 루카스를 위해 자신의 능력을 활용할 방법을 찾기 위해 계속 노력했지만, 힘이 되지 않는 것 같아 그녀는 자신을 탓하며 절망에 빠졌다. 엘리나는 루카스의 사랑과 지지를 통해 다시 일어설 힘을 얻었고 루카스는 엘리나에게 끊임없는 사랑과 지지를 보내며 그녀를 돕기 위해 최선을 다했다.

그들은 서로의 다양한 상실과 절망을 경험하며 변화해

나갔고 더 강해졌으며 서로의 진실한 사랑과 지지가 극복하고 헤쳐나갈 수 있는 믿음을 가지게 했다. 또한, 엘리나는 자신의 능력을 더 깊이 이해하고, 루카스를 돕기 위해 노력했다. 루카스는 자신의 건강을 되찾기 위해 최선을 다했다. 그들은 그렇게 서로에게 느껴진 상실들을 이겨왔고 때로 발생하는 절망 상황들을 극복하며 둘의 사랑은 모든 걸 지켜가 주었다.

운 명 의
장 난

제8장 운명의 장난

#. 루카스의 카페

엘리나는 루카스의 병세가 조금 나아지길 바라며, 카페

에서 일하는 시간을 줄이고 병원에서 더 많은 시간을 보냈다. 카페는 도심 한가운데 자리 잡고 있었고, 항상 많은 손님으로 붐볐다. 루카스가 없는 카페는 어딘가 허전해 보였지만, 엘리나는 그곳에서 일하면서 잠시나마 마음의 평안을 찾으려 했다.

카페의 내부는 따뜻한 나무 톤과 부드러운 조명이 어우러져 아늑한 분위기를 자아냈다. 바리스타들이 커피를 만들고 손님들과 대화를 나누는 소리가 배경 음악처럼 들려왔다. 엘리나는 카운터 앞에 서서 한 손님에게 주문을 받고 있었다.

"엘리나, 이곳의 커피는 정말 맛있어요. 오늘은 특별히 더 좋은 것 같아요." 단골손님인 루시가 미소를 지으며 말했다.

엘리나는 잠시 웃으며 대답했다. "감사해요. 오늘 특별히 좋은 원두가 들어왔거든요." 그녀는 잠시나마 일에 몰두하며 루카스에 대한 슬픈 감정과 걱정을 잊으려 했다.

바리스타 중 하나인 소피아가 엘리나에게 다가와 속삭였다. "언니, 요즘 루카스 오빠는 어때? 여기, 다들 걱정하고 있어."

엘리나는 깊은 한숨을 내쉬며 대답했다. "조금 나아지고 있긴 하지만, 아직 호전이 쉽지 않네. 고마워, 소피아. 그리고 네가 내 옆에 든든히 있어 주고 여기 함께하는 직원들 덕분에 카페가 잘 돌아가고 있어."

하지만 그녀의 능력은 카페에서도 가끔씩 발현되곤 했다. 손님들의 속마음을 읽을 수 있는 능력 덕분에, 엘리나는 그들이 겪고 있는 작은 고민이나 기쁨을 느낄 수 있었다. 이 능력은 그녀가 손님들과 더 깊이 연결될 수 있게 도와주었지만, 때로는 그녀에게 큰 부담이 되기도 했다.

#. 병원

루카스는 병원에서 치료를 받으며 시간을 보내고 있었다. 병원의 하얀 벽과 약품 냄새들은 그에게 불안감을 주었지만, 엘리나가 옆에 있어 주는 덕분에 그는 조금씩 나아지려 했다. 병실 안은 작은 창문을 통해 들어오는 햇빛에 의해 조금은 따뜻한 느낌을 주었다.

엘리나는 병실 안에서 루카스의 손을 잡고 있었다.
"루카스, 조금만 더 버텨줘. 우리가 함께 이겨낼 수 있을 거야," 그녀는 다정한 목소리로 말했다.

루카스는 미소를 지으며 대답했다.
"엘리나, 너만 있으면 나는 당연히 강해질 수 있을 것 같아. 고맙고, 사랑해." 그의 눈에는 여전히 사랑과 믿음이 가득했다.

엘리나가 병실 밖으로 나와 복도를 거닐고 있을 때, 간호사인 안나가 다가와 말했다. "엘리나, 당신의 헌신에 감탄하고 있어요. 루카스도 당신 덕분에 많이 힘을 얻고 있는 것 같아요. "

엘리나는 고개를 끄덕이며 대답했다.
"고마워요, 안나. 우리 루카스 잘 간호해 주세요. 여기, 모두의 도움이 필요해요. 루카스가 빨리 회복 되길... "

엘리나는 자신의 예지몽을 통해 루카스의 미래를 보려고 노력했다. 그녀는 또한, 명상 등을 통해 자신의 능력을 조절하며 미래를 더 자세히 보려 노력하고 그가 나아질 수도 있는 방법을 찾기 위해 애썼다. 병원의 정원에서 매일 명상하며 그녀는 자신의 능력을 더 깊이 이해하고, 루카스를 돕기 위해 최선을 다했다.

#. 엘리나와 루카스의 아파트

엘리나와 루카스의 아파트는 도시의 한적한 동네에 자리 잡고 있었다. 아파트 내부는 그녀의 취향을 반영한 아늑하고 깔끔한 인테리어로 꾸며져 있었다. 거실 창문을 통해 들어오는 자연광은 방을 따뜻하게 비추었고, 벽에는 그녀와 루카스가 함께한 추억의 사진들과 책들이 함께 진열되어 있었고, 전시되어 있었다.

엘리나는 집 안을 정리하고 청소 후 맑은 마음으로 루카스를 생각하며 명상에 집중하고 능력 향상에 노력했다. 그녀는 예지몽을 통해 루카스의 상태를 개선할 방법을 찾기 위해 끊임없이 노력했다. 그녀는 또한, 보이지 않는 것들과 들리지 않는 것들에서도 방법을 찾을 수 있지 않을까 생각하여 더 자신의 능력을 끄집어내려 했다. 그럴수록 자신의 몸이 망가지는 것을 느꼈다. 하지만 루카스를 위해선 감수하였다.

어느 날 밤, 엘리나는 예지몽 속에서 루카스의 병을 치료할 수 있는 단서를 발견했다. 그녀는 그 단서를 바탕으로 인터넷을 검색하고, 다양한 자료를 찾아보았다. 그녀는 루카스에게 새로운 치료법을 시도해 보기로, 결심했다.

엘리나는 또한, 이웃인 매기와 대화를 나누며 위로를 받았다. 매기는 마음이 따뜻한 사람이었고, 그녀와의 대화는 엘리나에게 큰 힘이 되었다.

"엘리나, 네가 얼마나 강한지 알고 있어. 루카스도 분명 네 덕분에 이겨낼 수 있을 거야," 매기는 진심 어린 목소리로 말했다.

#. 엘리나의 회사

엘리나는 회사에서도 어려움을 겪고 있었다. 사라의 배신으로 인한 상처는 여전히 그녀의 마음에 남아 있었고, 회사 내 분위기는 여전히 불신과 갈등으로 가득 차 있었다. 하지만 엘리나는 포기하지 않고 팀원들과의 신뢰를 회복하기 위해 끊임없이 노력했다.

엘리나는 회의실에서 팀원들과 함께 프로젝트를 논의하고 있었다. "우리, 모두가 함께 노력해야 이 프로젝트를 성공시킬 수 있습니다. 여러분의 도움이 필요해요," 그녀는 진지한 목소리로 말했다.

팀원 중 한 명인 마이클이 손을 들며 말했다. "팀장님, 우리가 팀장님을 믿고 따를게요. 그래야 함께 성공할 수 있지 않을까요. 모두, 함께 힘을 모읍시다. "

엘리나는 보이지 않는 것을 볼 수 있는 능력을 사용해, 팀원들의 진심을 파악하고 그들과의 관계를 개선해 나갔다. 그녀는 투명하고 공정한 결정을 내리기 위해 노력했고, 그 결과 팀원들의 신뢰를 조금씩 회복할 수 있었다.

#. 공원

엘리나는 스트레스를 해소하기 위해 가끔 공원에서 산책을 종종 하곤 했다. 공원은 도시의 소음에서 벗어나 자연을 만끽할 수 있는 장소였다. 나무들 사이로 햇빛이 비추어지고, 새들이 지저귀는 소리가 들려왔다. 엘리나는 공원의 벤치에 앉아 늘 생각 정리를 위한 명상을 하며 마음을 진정시켰다.

그녀는 공원에서 명상하며 자신의 능력을 더 깊이 이해하고, 루카스를 도울 방법을 다시금 더 찾기 위해 노력했다. 그녀는 공원의 평화로운 분위기 속에서 마음의 안정을 찾고, 새로운 희망을 발견했다.

공원에서 휠체어를 탄 한 어린 소녀가 그녀에게 다가와 말했다. "언니, 여기 자주 오시죠? 저 건너편에서 또한, 이 트레일을 지날 때마다 언니를 자주 봤어요. 언니의 밝은 미소를 보면서 힘을 얻었어요."

엘리나는 미소 짓고 소녀의 머릿결을 쓰다듬으며 대답했다. "어. 정말? 그랬다니 다행이다. 고맙네. 너도 나에게 큰 힘이 되는구나." 소녀와의 짧은 대화는 엘리나에게 큰 위로가 되었다.

#. 루카스의 운명

어느 날, 엘리나는 예지몽을 통해 루카스의 상태가 급격히 악화될 것을 예감했다. 그녀는 병원으로 급히 달려갔다. 병원 복도를 뛰어가는 동안, 그녀의 마음은 불안과 두려움으로 가득 차 있었다.

"루카스, 제발 버텨줘," 그녀는 속으로 간절히 기도했다.

병실에 도착한 엘리나는 루카스가 심각한 상태에 빠져 있다는 것을 알게 되었다. 그녀는 자신의 능력을 사용해 그의 상태를 진정시키고, 새로운 치료법에 도움을 주려 시도했다. 그녀의 능력은 점점 더 강해졌고, 그녀는 루카스의 고통을 덜어줄 수 있었다. 엘리나가 해줄 수 있는 것은 루카스의 의지를 도와줄 수 있는 믿음의 기원을 주는 것뿐이었다.

엘리나의 노력에도 불구하고, 루카스의 상태는 크게 호전되지 않았다. 엘리나는 하루하루 지쳐갔다. 자신의 몸도 점점 약해지는 것을 느꼈다. 그녀는 오랜 시간 동안 자신의 병도 악화되고 있다는 것을 버텨왔지만, 이제는 그 병마가 그녀를 휘감아 오는 것을 막을 수 없었다.

어느 날, 엘리나는 루카스의 병실에서 돌연 쓰러지고 말았다. 간호사들이 급히 달려와 그녀를 응급실로 옮겼다. 의사들은 엘리나의 상태를 살피며 긴급한 치료와 안정제를 투약했다. 그녀가 깨어났을 때, 루카스의 병실 안 옆 침대에 누워있는 자신을 발견했다.

루카스는 그녀의 손을 잡고 있었다. 자신의 침대에 누워있는 채로 엘리나의 침대 쪽을 바라보며

"엘리나, 이제 나만 생각하지 말고 너도 자신을 돌봐야 할 때가 온 것 같아. 엘리나, (마르고 힘든 기침을 하며) 엘리나, 우리의 행복은 잊지 않을 거야. 내가 많이 사랑하는 거 알지? 언제나 당신 편이었다는 것을..." 그는 눈물을 글썽이며 말했다.

엘리나는 힘겹게 미소를 지으며 대답했다. "당연하지, 루카스, 나는 너를 사랑해. 네가 내 곁에 있어 줘서 얼마나 힘이 되었고 행복했는지 몰라. 늘 고마워 그리고 사랑하고...."

엘리나의 손을 잡고 있던 루카스의 손에 힘이 빠지며

루카스는 말했다. "응. 나도... 나도... 엘리나... 당신을 진심으로 사랑했고... 지금도 앞으로도 사랑할...."

루카스의 말이 끝나기도 전 그 순간이 마지막이었다. 루카스는 더 이상 버티지 못하고, 그녀의 눈앞에서 자신의 진심을 전하며 생을 마감했다. 엘리나는 눈물을 흘리며 그의 손을 놓지 않았다.

"루카스! 루카스! 정신 차려! 일어나... 일어나... 나에게 해줄 말 많잖아. 선생님!! 선생님!! 우리 루카스, 우리 루카스 좀 어떻게 해봐요. 제발~~ 제발~~ 루카스, 이대로 가는 거 아니지? 잠시 졸려서 자는 것이지? 그런 거지? (루카스의 몸을 흔들며) 루카스, 루카스, 가지마. 나를 혼자 두고 가지마. 우리는 항상 함께 했잖아. 우리는 항상 함께 있을 거야, 루카스," 그녀는 루카스의 죽음에 혼절할 듯 루카스를 불러 댔다. 그의 몸을 꼭 안은 채 쓰러졌다.

엘리나는 자신의 병마와 싸우면서도 루카스의 죽음을 받아들이기 쉽지 않았다. 그렇게 그녀는 그가 남긴 사랑과 추억을 가슴에 품고, 앞으로의 삶을 살아가야만 했다.

그러던 어느 날 엘리나는 루카스의 죽음을 받아들이고 그와 함께했던 소중한 것들을 영원히 간직하며 함께 하기로 결심했다. 우리의 사랑이 어느 운명의 장난 속에서도, 그들은 서로에게 힘이 되어 주며 언제나 항상 서로의 마음속에서 그 사랑의 깊이를 영원히 담을 수 있다는 것을 알게 되었다.

새 로 운
운 명

제9장 새로운 운명

#. 엘리나의 일상

루카스를 떠나보낸 후, 엘리나의 삶은 완전히 바뀌었다.

그녀는 매일이 힘들고 슬펐다. 회사에서도 일을 제대로 할 수 없게 된 엘리나는 결국 회사를 그만두기로 결심을 내렸다. 사무실을 떠나던 날, 그녀는 동료들에게 작별 인사를 하며 눈물을 흘렸다. 모두가 그녀를 위로하려 했지만, 엘리나는 루카스와 함께한 추억에 깊이 빠져 있었다.

엘리나는 그 이후로 루카스와 함께했던 장소들을 다니며 시간을 보냈다. 그들이 함께 걸었던 바닷가, 그림 같은 작은 마을들, 함께 웃고 울었던 카페, 그리고 함께 미래를 꿈꿨던 병원 등 이 모든 장소는 그녀에게 너무나도 소중한 기억들이었다. 그녀는 그곳에서 루카스의 흔적을 찾으며 그리움을 달랬다.

바닷가는 항상 고요하고 아름다웠다. 파도 소리는 마치 루카스가 자신을 부르는 듯 루카스의 목소리처럼 엘리나의 마음을 어루만졌다. 작은 마을의 골목길에서는 그와 함께했던 따뜻한 순간들이 그녀의 눈앞에 아른거렸다. 이 모든 곳에서 엘리나는 루카스를 떠올리며 눈물을 흘렸다.

#. 루카스의 카페

루카스와 함께 만들었던 그들의 꿈의 공간, 카페는 여전히 엘리나의 손길로 지켜지고 있었다. 카페는 도심 한가운데 자리 잡고 있었고, 항상 많은 손님이 붐볐다. 엘리나는 카페에서 일하면서 루카스를 기억했고, 그의 흔적을 유지하려 했다. 따뜻한 나무 톤과 부드러운 조명, 루카스가 애정을 담아 고른 가구들과 소품들은 여전히 그 자리에 있었다.

카페 안은 마치 시간이 멈춘 듯한 느낌을 주었다. 벽에는 루카스와 엘리나가 함께 찍은 사진들이 걸려 있었고, 창가 자리에 앉으면 햇빛이 부드럽게 비춰 들어왔다. 카페의 모든 구석구석은 루카스의 흔적으로 가득했다. 엘리나는 커피 향기가 퍼지는 공간에서 그와의 추억을 떠올리며 하루하루를 보냈다.

카페에는 엘리나 외에도 몇 명의 종업원이 있었다. 한나와 조지는 루카스가 고용한 직원들이었고, 그들은 여전히 카페에서 일하며 엘리나를 도왔다. 한나는 밝고 활기찬 성격으로 손님들에게 항상 웃음을 주었고, 조지는 조용하지만 성실하게 자신 일을 잘 맡아 처리했다.

#. 카페 속 일상

하루는 종업원들이 바쁜 점심시간을 맞이하며 손님들을 응대하고 있었다. 한나는 카운터 뒤에서 주문을 받으며 손님들에게 밝은 미소를 지어 보였다.

"어서 오세요! 무엇을 도와드릴까요?" 한나는 커피 머신을 조작하며 말했다.

조지는 테이블 사이를 돌아다니며 손님들이 필요로 하는 것을 챙겨주며 그는 테이블 위에 놓인 빈 컵들을 치우고, 새로운 주문을 받거나 커피를 나르고 있었다.

엘리나는 카운터 뒤에서 커피를 내리며 종업원들의 모습을 지켜보았다. 그녀는 루카스가 살아있을 때처럼 카페가 잘 운영되는 것을 보며 작은 위안을 느꼈다. 때론 엘리나가 서빙을 하기도 했다. 엘리나는 커피 잔을 들고 손님들에게 다가가며 말했다.

"커피 나왔습니다. 즐겁게 드세요." 엘리나는 손님들에게 미소를 지으며 따뜻한 목소리로 말했다.

#. 카페에서의 새 만남

어느 날, 엘리나는 카페에서 커피를 만들며 손님들을 맞이하고 있었다. 그때 문이 열리며 한 남자가 카페에 들어왔다. 엘리나는 그 남자를 알아보았다. 그는 몇 해 전부터 이 카페에 종종 찾아오던 손님이었다. 항상 조용하고, 자신만의 시간을 즐기던 모습이 기억에 남아 있었다.

그 남자는 엘리나를 보더니 미소를 지으며 다가왔다.

"안녕하세요, 여기 자주 오시죠?" 그는 부드러운 목소리로 말했다.

엘리나는 놀란 표정으로 그를 쳐다보았다.

"어머! 네, 자주 왔었어요. 요즘은... 예전만큼 자주 오지는 않지만요."

그는 고개를 끄덕이며 엘리나가 있는 카운터 근처 테이블에 앉았다. "저는 이 카페를 자주 찾곤 했어요. 여기 커피가 정말 맛있거든요. 그런데 당신을 자주 봤던 것 같아요. 오늘은... 그곳에 무슨 일로 계신 건가요?"

엘리나는 잠시 머뭇거리다 대답했다.

"그냥, 예전 생각이 나서요. 이곳에는 제게는 정말 많은 추억이 있거든요."

그 남자는 엘리나의 말을 듣고 깊은 공감을 느꼈다.
"저도 그런 경험이 있어요. 추억이 있는 장소는 항상 특별하죠. 그런데, 혹시 제 이름을 말씀드려도 될까요? 저는 다니엘입니다."

엘리나는 미소를 지으며 대답했다.
"아, 저는 엘리나에요. 지금은 이 곳의 사장입니다. 만나서 반가워요, 다니엘"

#. 새로운 시작

그날 이후로 엘리나는 다니엘과 자주 만나게 되었다. 그들은 서로의 이야기를 나누며 조금씩 가까워졌다. 다니엘은 따뜻하고 이해심 많은 사람이었고, 엘리나는 그와 함께 있을 때 마음의 평안을 느꼈다.

그러나 루카스와의 추억이 가득한 카페에서 다른 사람과 새로운 관계를 맺는 것은 엘리나에게 쉽지 않았다. 그녀는 여전히 루카스를 사랑하고 그리워했지만, 다니엘의 따뜻한 마음에 점점 끌리게 되었다. 다니엘은 엘리나의 아픔을 이해하고 그녀를 위로해 주었다. 그는 그녀에게 새로운 시작을 할 수 있는 용기를 심어주었다. 엘리나는 다니엘과 함께하면서 조금씩 루카스를 떠나보낼 준비를 할 수 있게 되었다.

#. 결정적인 순간

어느 날, 다니엘은 엘리나에게 특별한 제안을 했다. "엘리나, 우리 함께 여행을 떠나보는 건 어때요? 새로운 곳에서 새로운 추억을 만들어보는 거죠."

엘리나는 잠시 생각하다가 고개를 끄덕였다.

"좋아요, 다니엘. 당신의 따뜻함에 저도 새로운 시작을 해보고 싶네요."

그들은 함께 여행을 떠났고, 다양한 곳을 방문하며 새로운 추억을 만들었다. 그들은 바닷가에 찾아가 잔잔한 파도 소리를 들으며 새로운 추억과 기억을 쌓았다. 작은 마을의 골목길을 함께 걸으며 그들은 서로의 이야기를 나누었다. 엘리나는 다니엘과 함께하면서 다시 웃을 수 있게 되었고, 그의 따뜻한 마음에 점점 더 끌리게 되었다.

#. 돌아 온 여정

여행을 마치고 돌아온 엘리나와 다니엘은 자신의 카페가 아닌, 이 마을의 또 다른 한 카페를 찾았다. 그곳에서 그들은 여행에서 함께했던 추억을 나누며 따뜻한 시간을 보냈다. 카페에서 엘리나는 다니엘과 함께 새로운 시작을 다짐하며 과거의 슬픔을 조금씩 놓아주기로 했다.

다니엘은 엘리나에게 말했다. "엘리나, 나는 당신과 함께하는 시간이 정말 좋은 것 같아요. 앞으로도 계속 당신과 함께하고 싶은데…"

엘리나는 다니엘의 따뜻함에 그의 손을 잡으며 대답했다. "그래요, 다니엘. 당신과 함께라면 새 출발을 할 수 있을 것 같아 좋네요."

그들은 서로를 바라보며 미소 지었다. 엘리나는 루카스를 떠나보내는 아픔 속에서도 새로운 사랑을 찾을 수 있었다. 그녀의 마음속에는 여전히 루카스가 자리하고 있었지만, 이제는 다니엘과 함께 새로운 운명을 향해 나아갈 준비를 하게 되었다.

그들은 카페를 나서며 손을 꼭 잡고, 잠시 바닷가를 걸으며 새로운 시작을 함께하기로 다짐했다. 엘리나는 자신의 능력을 통해 다니엘과의 미래를 꿈꾸며, 앞으로의 남은 삶을 긍정적으로 바라보기로 했다. 운명의 장난 속에서도, 엘리나는 다시 한번 새로운 사랑과 희망을 찾을 수 있을 것이라 믿었다.

깨 어 진

꿈

[불멸의 암시] 깨어진 꿈

어느덧, 시간은 흘러가고 엘리나는 다니엘과의 여행을
통해 그리고 새로운 운명의 다짐 속에 새로운 시작을 꿈

꾸었지만, 그녀의 마음은 여전히 과거의 그림자에 갇혔다. 다니엘과의 관계가 점점 진전될수록 자신의 과거와 현재를 마주하는 어려움을 겪었다. 그에게서 루카스의 모습이 아른거렸다. 루카스의 그림자는 그들이 여행을 마치고 돌아와서도, 엘리나의 마음을 무겁게 만들어 가고 있었다.

#. 바닷가 어느 작은 술집

해수욕장을 따라 펼쳐진 이 술집은 푸른 바다와 부서지는 파도를 즐기기 위한 휴식처로, 작은 배들이 조용히 떠 있는 곳이었다. 테라스는 저녁 노을의 빛을 비추며, 바닷가의 푸른 파도와 함께 고요한 분위기를 자아내고 있었다.

그들은 바닷가를 걷다 이 작은 술집을 향하였다.

"다니엘, 나 술 한 잔만 사줄 수 있어요." 엘리나는 무거운 마음으로 입을 열기 시작했다.

"무슨 일이 있었나요?" 다니엘은 엘리나의 모습에 의해 하며 엘리나와 함께 술집으로 들어갔다. 그들은 술집 안쪽 바닷가가 그리워진 창가 테이블에 앉았다. 다니엘은 엘리나가 여행 당시 즐겨 마셨던 와인을 주문하고 둘은 말없이 조용히 잠시 창밖의 바닷가를 바라봤다.

"주문하신 샤또 라피뜨 나왔습니다." 술집 종업원은 그들이 주문한 와인을 준비해주며 말했다.

"감사합니다." 그들은 술집 종업원에게 인사를 하고 조용히 와인을 마시기 시작했다. 엘리나는 몇 잔을 마신 후 감정을 추스르며 조용히 입을 열었다.

"다니엘, 우리가 함께 지낸 시간이 얼마나 됐죠?" 엘리나가 조용히 물었다.

다니엘은 평상시처럼 미소를 지으며 대답했다. "벌써 한 달이 넘었어요. 그 시간 동안 당신과 함께했던 모든 순간이 소중했네요."

엘리나는 깊게 숨을 들이마시며 말했다. "다니엘, 나에 대해 더 알아갈 것이 있어요. 당신이 나를 바라봤던 그 모습들이 전부가 아니에요. 내가 당신에게 이야기하지 않은 것이 많아요."

다니엘은 의문의 표정으로 그녀를 바라보았다.

"네, 무엇인가요? 당신이 제게 들려주고자 하는 이야기, 많이 궁금해지네요. 편하게 말해 보아요."

엘리나는 결심을 굳히며 이야기를 시작했다. "나는 루카스와 함께 행복한 순간들을 많이 보냈어요. 우리는 서로를 사랑했고, 많은 꿈을 꾸기도 했어요."

다니엘은 조용히 그녀의 이야기를 듣고 있었지만, 그의 내면엔 약간의 당황과 불안, 불편함이 섞였다. 엘리나는 이어 말했다.

"하지만 지금은... 그의 죽음으로 모든 게 변해버렸어요. 그리고 당신과 함께 있거나 함께하면 잊을 수 있을거라 생각했어요. 그런데, 그를 잘 잊지 못해요."

다니엘은 엘리나의 고백에 고개를 끄덕였다. "엘리나, 당신의 마음을 전 당연히 이해해요. 루카스란 분은 당신에게 매우 중요한 존재였고, 당신 마음에 깊이 남아 있는 사람이란 걸요."

엘리나는 고개를 끄덕이며 다니엘의 손을 잡았다.

"나도 그렇게 믿고 싶어요. 그래서 다니엘, 힘들어요."

그들은 서로의 눈을 바라보며 조용히 앉아 있었다. 그리고 날이 저물어가면서도 술집의 분위기는 여전히 어두운 그늘 속으로 흘러갔다. 파도 소리는 그들의 대화를 감싸 주었지만, 엘리나에게 소용이 없었다. 엘리나는 점점 더 깊은 공허함을 느끼기 시작했다.

"하지만, 엘리나, 당신 안의 루카스는 이제 없어요. 지금의 나를 봐요. 당신과 있는 나를..."

엘리나는 자신을 이해할 듯 하면서도 자신을 바라보라는 다니엘의 말에 다니엘의 눈을 바라보며 시간이 지남에 따라 다니엘과의 관계가 예상했던 것처럼 발전하지 못할 것을 깨달았다. 다니엘은 그녀가 원했던 진정한 사랑보다는 잠시 스친 사랑의 장난 같게 느껴졌고 왠지 서로의 상처만이 더 커질 것 같은 예감이 처음 만났던 그의 모습과는 다른 그의 또 다른 본성에 불안과 혼란을 초래했다.

"다니엘, 미안해요. 우리의 사랑은 이루어질 수 없나 봐요. 미안해요. 우리의 시간은 여기까지 같아요." 결국, 엘리나는 다니엘에게 헤어지자는 통보 같은 말을 하게 된다.

예상은 했지만, 엘리나의 말에 다니엘은 화가 나기 시작하며 "무엇이 문제인데, 뭐가 미안한데, 나의 사랑은 당신과 왜 안되는데, 지금까지 함께한 순간은 그럼, 나를 왜만난 건데..." 흥분한 다니엘의 폭발적인 내면을 보게 되면서 엘리나는 무서움을 느꼈다.

엘리나는 다니엘과의 추억과 시간은 루카스와 함께했던 진심의 사랑이었던 사랑이 아님을 깨닫고 점점 더 두려움과 무서움을 느꼈다. 더 많은 상처를 받기 전에 결정을 내려야 했다. 결국, 그들은 서로의 마음을 이해한다 생각하고 새로운 시작을 맞이하려 했지만, 다니엘이 보여 준 이중인격의 본성에서 엘리나를 더욱 더 힘들게 하였고, 서로를 이해하며 살아갈 날들이 순탄하지 않을 것이라는 결론에 이르렀다. 술집의 이별 통보와 이야기 속에서 헤어지는 것을 선택했다.

그렇게 둘은 헤어졌다.

엘리나는 다니엘과 헤어지고 난 후 술집의 해변을 걸어가며 바닷가에서 느꼈던 푸른 물결과 함께 자신의 마음에 담겨 있던 루카스와의 시간 여행을 하듯 다시금 자신에 대한 후회와 변화를 느끼게 되었다. 그녀는 자신이 겪은 모든 것을 받아들이고, 새로운 시작을 위해 준비할 시간이 필요하다고 깨닫고 루카스와 함께 만들어 낸 카페로 다시 돌아가 앞으로의 남은 여정을 향한 새로운 길을 향해 나아갈 결심을 했다.

영 원 한
사 랑

제10장 영원한 사랑

#. 루카스와 함께 한 사랑의 카페

엘리나는 다니엘과 헤어진 후, 자신의 인생을 다시 정

리하고자 루카스와 함께 만들어 낸 카페로 돌아왔다. 카페는 여전히 그녀의 삶의 중심이었고, 그곳에서 엘리나는 새로운 시작을 준비하며 살아갔다. 카페는 언제나 낮에는 따사로운 햇살이 드리우는 곳이었고, 저녁은 붉게 물든 노을의 빛이 아늑함을 담은 곳이었다.

루카스와 함께 심은 꽃들은 계절마다 다양한 색으로 피어났다. 시간이 지나면서 엘리나는 점점 더 세월과 함께 약해져 갔지만, 마음속 깊은 곳에 남아 있는 루카스와의 추억이 그녀를 버티게 해주었다.

어느 날, 엘리나는 바닷가에 나가 걸었다. 그녀의 발걸음은 점점 더 느려졌지만, 바다의 파도 소리는 여전히 그녀에게 위안을 주었다. 바닷가의 모래는 파도의 물결과 함께 그녀의 발 등 밑에서 부드럽게 미끄러졌고, 바람은 그녀의 얼굴과 그녀의 금발을 부드럽게 쓰다듬었다. 바닷가에 도착한 엘리나는 해변가에 서서 눈을 감았다.

루카스와 함께했던 순간들이 그녀의 마음속에 생생하게 떠올랐다. 루카스의 웃음소리, 그의 따뜻한 손길, 그와 함께 보낸 모든 시간이 그녀의 마음을 가득 채웠다.

엘리나는 바닷가에 작은 벤치 하나를 세울 결심을 했다. 그녀는 루카스와 함께했던 행복한 순간들을 기념하며, 그 벤치를 통해 그들의 사랑을 세상에 남기고자 했다. 벤치에는

"AElena y Lucas, amor eterno, descansad en paz."

이라는 문구가 새겨졌다. 벤치의 나무는 해변의 소금기와 바람을 견딜 수 있는 강한 목재로 만들어졌고, 그녀는 그곳에서 루카스와 함께한 추억을 되새기며 눈물을 흘렸다.

그 벤치는 바닷가의 파도 소리와 함께 조용히 자리를 잡았다. 사람들은 그 벤치를 보며 엘리나와 루카스의 사랑 이야기를 떠올렸고, 그들의 사랑이 얼마나 깊고 진실했는지 알게 되었다. 엘리나는 점점 더 약해져 갔지만, 그녀의 마음속에는 루카스와의 추억이 영원히 남아 있었다. 카페에서 일하는 직원들은 엘리나의 상태를 걱정하며, 그

녀를 지켜보며 보살펴 주었다.

엘리나는 루카스 곁에서 영원히 잠들 결심을 했다. 그녀는 자신의 마지막 여정을 준비하며, 사랑하는 사람들과 마을 사람들과도 작별 인사를 나누었다. "여러분, 루카스와의 시간은 제 인생에서 가장 행복한 시간이었어요. 그의 곁에서 영원히 함께하고 싶습니다." 엘리나는 눈물을 흘리며 말했다.

그녀는 마지막 순간까지도 자신과 루카스의 사랑 이야기를 일기장에 기록했다. 그녀의 손길이 머무는 종이 위에는 두 사람의 아름다운 순간들이 담겨 있었다. 그녀의 마지막 순간은 조용하고 평화로웠다. 엘리나는 루카스와 함께했던 추억들을 떠올리며, 루카스의 품에서 함께 영원한 안식을 찾았다.

엘리나가 세상을 떠나는 날, 사람들은 바닷가의 벤치에 모여 그녀와 루카스의 사랑을 빌어 주었고 엘리나 세상을 떠난 후, 매년 12월 30일, 그 벤치는 영원한 사랑의 상징으로 남았고, 많은 사람에게 깊은 감동을 주었다. 엘리나와 루카스의 이야기는 바다의 파도 소리와 함께 영원히 남아, 그들의 사랑을 기억하는 모든 사람의 마음속에 살아 숨 쉬고 있었다.

엘리나와 루카스의 사랑을 축복하기 위해 많은 이들이 모였다. 카페의 직원들, 엘리나와 루카스의 친구들, 그리고 루카스와 엘리나를 알던 모든 사람이 그곳에 모여 있었다.

그들은 엘리나와 루카스의 벤치 앞에서 함께 손을 맞잡고 그들의 사랑을 기렸다. "엘리나와 루카스의 사랑은 영원할 것입니다," 엘리나와 루카스의 한 친구가 눈물을 흘리며 말했다. "그들의 사랑은 우리 모두에게 큰 영감을 주었어요," 또 다른 친구가 덧붙였다. 이어 많은 이들이 엘리나와 루카스에게 마음의 한 줄 편지들을 담아 보내기 시작했다.

그날 밤, 마을 사람들은 모두 촛불을 들고 해변에 모였다. 촛불의 불빛은 어두운 밤하늘을 밝히며, 엘리나와 루카스의 사랑을 지켜주는 듯했다. 바닷가의 벤치는 촛불의 불빛과 함께 빛났고, 마을 전체는 두 사람의 영원한 사랑을 축복하는 분위기로 가득 찼다. 사람들이 촛불을 들고 서로의 손을 잡고 있는 모습은 마치 엘리나와 루카스의 사랑이 그들의 마음속에 영원히 살아있음을 나타내는 듯했다.

엘리나가 루카스 품에 잠든 후, 어느덧, 해가 지나고 있을 시점, 그녀의 일기장이 마을을 찾은 어느 한 작가에 의해 발견되었다. 이 작가는 일기장을 통해 엘리나와 루카스의 사랑 이야기에 깊이 감동을 받았고 그들의 이야기를 하나의 아름다운 책인 소설로 출판 결심을 했다. 소설은 많은 사람에게 읽혀지며, 엘리나와 루카스의 사랑은 세상에 널리 알려졌다. 그들의 사랑 이야기는 마치 불멸의 노래처럼 사람들의 마음속에 울려 퍼졌다.

엘리나의 마지막 순간은 슬프고도 아름다웠다. 그녀는 자신의 삶을 사랑으로 채웠고, 루카스와 함께 영원한 안식을 찾았다. 그들의 사랑은 영원히 빛날 것이며, 그 사랑의 징표는 바닷가의 벤치와 함께 세상에 남아 사람들에게 영원한 사랑의 의미를 전해주었다. 벤치 주변에는 그들을 기리는 꽃들이 매년 피어났고, 그 꽃들은 마치 엘리나와 루카스의 사랑이 여전히 살아 숨 쉬고 있음을 상징하는 듯했다.

엘리나와 루카스의 사랑은 시간과 공간을 초월해 영원히 기억될 것이며, 그들의 이야기는 많은 사람에게 진정한 사랑의 의미를 되새겨 줄 것이다. 앞으로도 그들이 남긴 이 소설은 많은 이들에게 읽혀질 것이고 그들의 사랑 이야기는 세상을 따뜻하게 밝혀주는 빛이 될 것이다. 엘리나와 루카스의 사랑은 마을 사람들의 마음속에 영원히 살아있으며, 그 사랑의 불꽃은 계속해서 꽃들과 불빛들로 늘 함께 피어오를 것이다.

이 소설에 담아진 두 아이는 어느 유럽의 한적한 마을에서 소녀와 소년의 순수함에서 만남이 영원한 순결을 담아 오래도록 함께 죽음의 사랑이 영원할 수 있을까를 우리는 생각을 해보게 된다. 본 작가는 내 안에 남아 있던 옛 그녀와의 사랑을 잊지 못하는 것처럼, 이 두 순수함이 영원했으면 했다. 우리 인간은 혼자 살아갈 수 없다는 것을 알고 있다. 다만, 누구와의 삶이 나에게 있어서 그 무엇이든 얼마나 많은 것을 가져가게 될지를 보게 된다.

  두 순수함으로 이루어진 사랑이 모두 영원하다는 것은 아니다. 이 세상에는 수많은 사랑과 이별이 우리 마음을 움직이기도 한다. 때론 슬픔으로, 때로는 아픔으로 그리고 행복으로도 우리의 감정은 수없이 그려지고 또 그려진다. 이 소설을 읽고 난 독자 여러분들은 지금 어떤 사랑을 하고 있을까를 생각하게 될 것이다. 나의 사랑이 순수했을까? 아니면, 나의 사랑은 외로움을 갈망하다 구원을 받은 사랑이 아니었을까?

운명적인 만남, 운명적인 사랑, 우연한 만남 등으로 인한 사랑도 있겠지만 그렇지 않고 소개와 컨설팅을 통한 사랑도 있을 것이다. 이처럼 다양한 세상에서 사랑은 이루어진다고 볼 수 있는 것 같다. 다만, 본 작가가 표현하고자 하는 이번 소설의 작품에서는 순수한 사랑이 영원한 사랑을 그려질 수 있다는 것을 독자 여러분들에게 보여주고 싶었다.

어떤 이는 그 사랑을 경험해 본 사람만이 알 수 있겠지, 라고 생각을 하는 사람들도 있다는 것을 우린 생각하지 않을 수 없다. 하지만 지금, 이 소설을 보고 있는 당신이 이 사랑의 주인공일 수도 있다는 걸 우린, 알고 있을 것이다.

각 소설 내 씬(#.)들 속에서 이루어진 감정과 현실, 추억 속 과거 그리고 두 순수함에 의해 우리가 살아온 세월의 흐름과 앞으로의 미래를 향한 자신을 보게 될 것이다. 사랑 외의 세상도 말이다.

끝으로 본 작가가 이 소설을 쓰게 된 계기는 아직도 사랑하고 있는 그녀가 내 앞에 살아있을 것만 같았고, 지금도 나의 뒤에 달려와 나를 품에 안으며 부르던 그 목소리가 들리는 것 같다. 그녀와 함께했던 수많은 추억이 지금도 저 창밖의 구름 안에 그려지는 것 같다.

저 하늘 위의 구름처럼, 내가 가는 곳마다 나와의 곁에서 함께 다니고 있다는 걸 느끼기도 한다. 비가 오면 하늘에서 내려오는 빗줄기의 부딪히는 소리에 마음의 귓가에 울리고 젖어 드는 속삭임의 이야기가 나를 부르듯, 따사로운 햇살은 나를 바라보는 눈빛처럼 환하게 웃는 것은 아닐까. 하고 말이다.

끝으로 독자 여러분들에게 전한다. 지금도 행복하냐고 그렇다면 그 행복을 위해 내가 무엇을 하고 내가 누구를 사랑하고 있는지 그 사랑을 잊지 않았으면 한다. 당신의 소중한 사랑이 이 소설 사랑보다도 중요하고 아름답다는 것도 잊지 않길 바라며 본 작가의 마음도 이 순수했던 아이들의 영원한 사랑에 잠시 함께 잠이 든다.

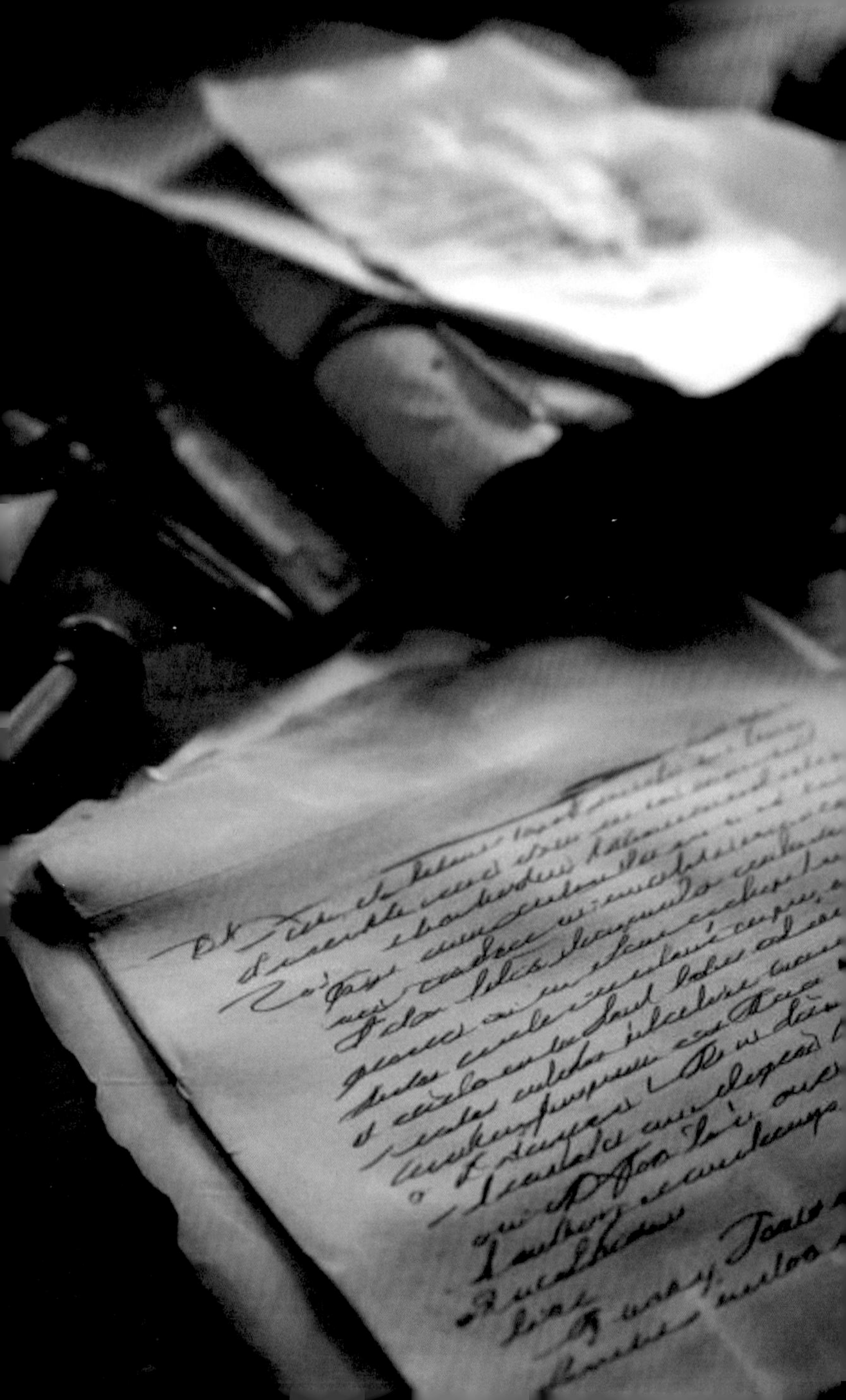